Complementos
& ABALORIOS

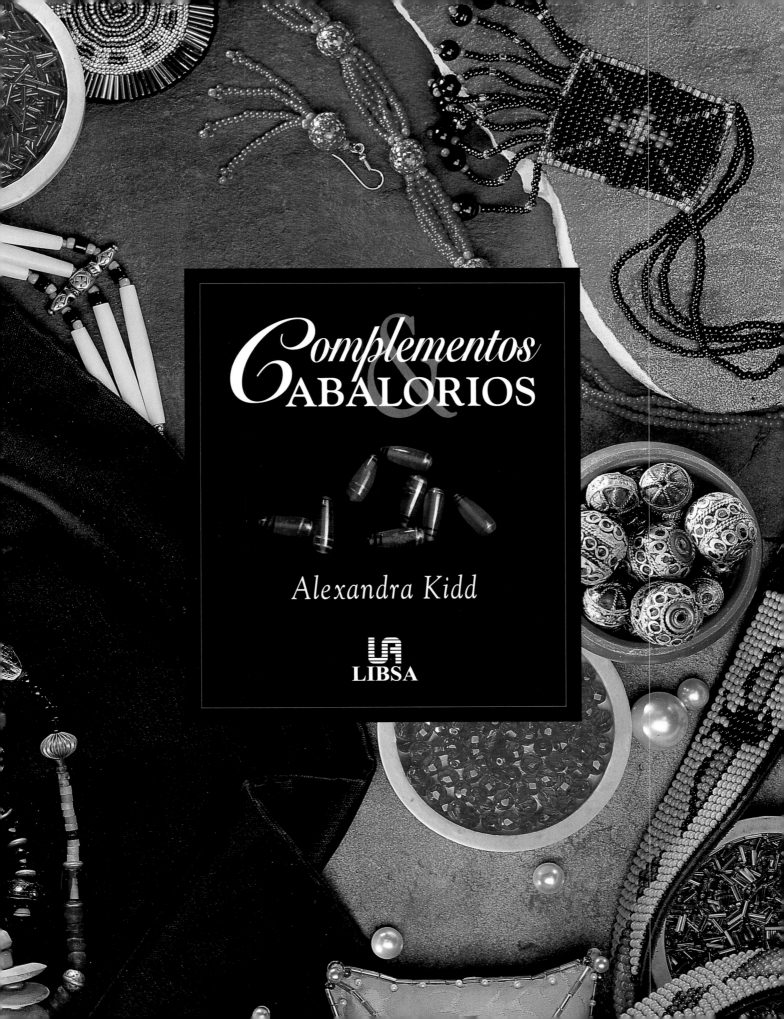

Complementos & Abalorios

Alexandra Kidd

LIBSA

A QUARTO BOOK

© 2007, Editorial LIBSA
C/ San Rafael, 4
28108 Alcobendas. Madrid
Tel. (34) 91 657 25 80
Fax (34) 91 657 25 83
e-mail: libsa@libsa.es
www.libsa.es

ISBN-13: 978-84-662-1490-2
ISBN-10: 84-662-1490-9

Derechos exclusivos de edición para todos
los países de habla española.

Traducción: Antonio Rincón

© MMIV, Quarto Publishing plc.

Título original: *Beautiful Beads*

INTRODUCCIÓN 6

ENFILADO 16

Enfilado simple

Collar de
luna y estrellas

Conjunto trenzado
rojo y azul

Collar con flecos

Collar anudado

Gargantilla al estilo
vaquero

Collar de cristal
esmerilado

Bufanda con
flecos de abalorios

Collar de festones

Pantalla de
lámpara con flecos

HILO METÁLICO 40

Pendientes
innovadores

Collar móvil

Collar de cadena
maciza

Conjunto azul celeste

Collar de cuentas de
cristal

Colgante de cinco
piezas

Flores decorativas

TRABAJOS EN TELAR Y TEJIDOS A MANO 56

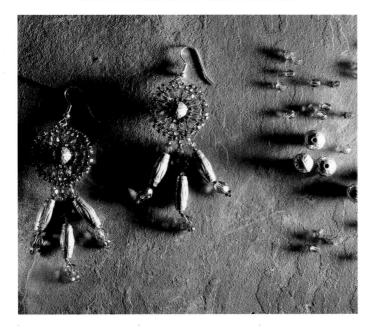

PEGAR Y ALFILETEAR 112

Las cuentas y abalorios se han usado en todo el mundo casi desde el momento en que el hombre tuvo los medios para practicar agujeros y ensartar piezas en hilos. Aunque los ejemplos más antiguos corresponden a elementos de hueso o asta animal, conchas y semillas, no pasó demasiado tiempo antes de que empezaran a usarse la madera, la cerámica, los metales y el vidrio.

Los egipcios labraron espléndidas joyas, pues tanto hombres como mujeres llevaban anchos pectorales de cuentas ensartadas en varios hilos; Tutankamon fue enterrado en un mandil ceremonial con incrustaciones de láminas de oro provistas con vidrio multicolor y bordeadas de cuentas. Durante la Edad de Bronce en China se fabricaron abalorios, y los romanos usaron el vidrio para preparar sus cuentas. En las tumbas etruscas se han descubierto collares, broches, brazaletes y anillos, y los hallazgos arqueológicos de Siria incluyen cuentas de cerámica datadas entre los siglos v y x.

Hoy en día, cuentas y abalorios siguen utilizándose en todo el mundo. Basta con entrar en cualquier tienda de artesanía o en la sección de bisutería o joyería de unos grandes almacenes para disfrutar de centenares de formas, colores y variedades diferentes de piezas ensartadas de madera, vidrio, piedras semipreciosas, coral, metal, cerámica y, por supuesto, plástico, tratadas de formas tan diversas que se hacen casi irreconocibles.

INTRODUCCIÓN

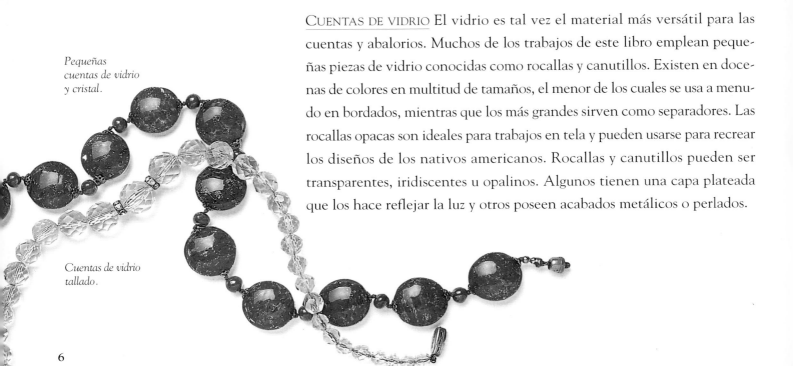

Pequeñas cuentas de vidrio y cristal.

Cuentas de vidrio tallado.

CUENTAS DE VIDRIO El vidrio es tal vez el material más versátil para las cuentas y abalorios. Muchos de los trabajos de este libro emplean pequeñas piezas de vidrio conocidas como rocallas y canutillos. Existen en docenas de colores en multitud de tamaños, el menor de los cuales se usa a menudo en bordados, mientras que los más grandes sirven como separadores. Las rocallas opacas son ideales para trabajos en tela y pueden usarse para recrear los diseños de los nativos americanos. Rocallas y canutillos pueden ser transparentes, iridiscentes u opalinos. Algunos tienen una capa plateada que los hace reflejar la luz y otros poseen acabados metálicos o perlados.

Cuentas milflores
venecianas.

Solían venderse al peso, y a veces aún se ven en las tiendas ensartados en largos hilos. Sin embargo, hoy resulta más probable encontrarlos en pequeñas bolsas.

En el extremo opuesto de la escala representado por rocallas y canutillos monocromos se sitúan las cuentas milflores maravillosamente elaboradas. Surgieron en los talleres de vidrio veneciano de Murano, donde esta técnica se usaba para fundir minúsculas cañas de vidrio al objeto de crear hermosos diseños de abalorios.

Las cuentas hechas con vidrio fundido inundan actualmente el mundo entero. Las modalidades milflores se fabrican en la India y se exportan a occidente, mientras que en Europa central este vidrio se usa para cubrir pequeñas piezas de aluminio o incluso diminutas flores de cristal para producir abalorios exquisitos. Algunas perlitas de vidrio fundido combinan dos o más colores para crear efectos helicoidales, mientras que otras contienen espirales de fino alambre metálico. A veces se pulverizan cuentas bicolores para exhibir su tonalidad cromática de fondo.

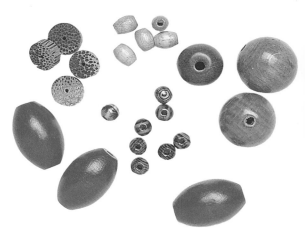

Cuentas de madera.

A finales del siglo XIX, Daniel Swarovski desarrolló un método de refinado y corte del vidrio para crear bolas facetadas, lo cual revolucionó la industria. Actualmente, muchas de estas bolas facetadas se preparan en moldes y, naturalmente, son mucho más baratas que las cortadas a mano. Aun así siguen destellando a la luz como las más caras y valiosas.

África se ha especializado en la producción de abalorios con vidrio reciclado, incluyendo botellas usadas de refrescos, que se conocen como cuentas de cristal esmerilado. Se distinguen por un acabado opaco, y a menudo tienen dos o hasta tres colores. En este libro se han usado en las páginas 32-33.

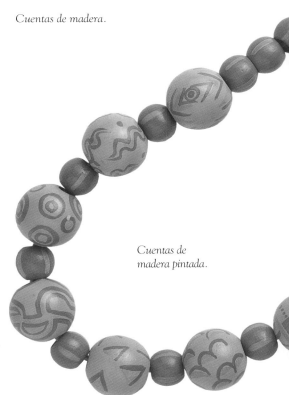

Cuentas de
madera pintada.

MADERA Las cuentas de madera se sitúan entre las más antiguas de la historia. En Japón y China se labraban con primor, frecuentemente con representaciones de flores y figuras. En otros lugares, la madera simplemente se alisaba y pulía de forma que pudieran apreciarse su grano y color naturales. En Europa se aprovecharon el tejo, el acebo, el roble, el nogal y el boj, mientras que en América se usaron cuentas de madera dura, como las del árbol de la caoba, el nazareno y el tulipero.

Cuentas metálicas.

*Cuentas metálicas
decorativas.*

*Cuentas metálicas
con texturas.*

*Cuentas
lisas de cerámica.*

METAL Durante milenios se han usado cuentas de oro y plata para los adornos de príncipes y reyes y, por supuesto, estos metales preciosos siguen usándose en los abalorios. Sin embargo, hoy es más probable encontrar cuentas hechas de metales básicos o incluso cacerolas recicladas.

Aunque no son de plata de ley, sino de una aleación de este metal, las cuentas del subcontinente indio se venden en una amplia gama de formas y diseños tradicionales. Las filigranas, que pueden formarse como piezas caladas o con la decoración incrustada en la base sólida, se fabrican en toda Europa, con el hilo metálico enroscado en motivos florales y abstractos tanto en oro como en plata. Los metales martillados, en particular el cobre, se han empleado para crear superficies con textura.

Al igual que con el vidrio, los procedimientos de reciclado hacen hoy posible encontrar cuentas preparadas a partir de viejas cacerolas o incluso de piezas de motor. A menudo, éstas proceden de África o de Extremo Oriente.

CERÁMICA Las cuentas de cerámica se sitúan entre las formas más antiguas de decoración en la historia, y aún siguen fabricándose. Los tipos de cerámica lisa, como los preparados en el Reino Unido, se conforman a veces en conos o biconos enroscados, y en Grecia se producen cuentas anulares de colores vivos, teñidos con óxidos metálicos.

Sin embargo, es corriente que las cuentas de cerámica estén brillantemente glaseadas y adornadas. En Grecia es tradición decorar los abalorios con bellos motivos florales, mientras que los procedentes de China tendrán flores pintadas en acabados metálicos. Las cuentas peruanas se decoran a menudo con escenas y dibujos muy complejos pintados a mano.

*Cuentas de cerámica
pintada.*

Cuentas de lapislázuli.

Cuentas de turquesa.

PIEDRAS SEMIPRECIOSAS Ágata, jade, lapislázuli, turquesa... la variedad de piedras semipreciosas que pueden conformarse como abalorios es casi ilimitada. Estas piedras ofrecen la oportunidad de preparar adornos de gran belleza. El uso alterno de cuentas semipreciosas y perlas de oro o plata sirve para crear ejemplos exquisitamente sencillos de collares. Dado que estas cuentas suelen ser caras, lo mejor es ensartarlas en hilos resistentes con un nudo entre cada dos cuentas. Así se impedirá que se pierdan en caso de que se rompa el hilo (ver el trabajo de las páginas 28-29).

El ámbar y el azabache no son piedras verdaderamente, pero también pueden usarse, solas o en combinación, con separadores y fornituras de oro y plata para formar piezas al estilo tradicional. El ámbar es resina fosilizada de las coníferas y su color oscila entre un rojo atractivo y el amarillo. En enterramientos de la Edad del Bronce se han encontrado joyas de azabache, un mineral semejante al lignito, un material que cobró enorme popularidad en Gran Bretaña durante el siglo XIX.

*Cuentas
de azabache.*

MINERALES NATURALES Las cuentas de materiales naturales como el hueso, el asta (incluido el marfil) y las semillas no son tan fáciles de encontrar hoy en día, salvo que se busque en joyas antiguas y en tiendas de artículos usados y se decida insuflarles nueva vida recuperándolas en cadenas o empleándolas de cualquier otro modo.

En cambio, es corriente encontrar abalorios de concha. La madreperla suele labrarse en colgantes y alhajas, mientras que otras variedades de la misma son comunes en incrustaciones en otras formas de abalorios.

Las perlas y el coral han sido desde siempre muy apreciados como cuentas, y en la actualidad resultan tal vez bastante caros para un uso cotidiano. La producción a gran escala de perlas cultivadas y los modernos métodos de fabricación que han hecho posible la producción de perlas de vidrio de imitación en material plástico perlado han puesto estas cuentas y abalorios de tipo perla al alcance de todos los aficionados. Aunque nunca podrán estas imitaciones rivalizar con el hermoso lustre de las perlas verdaderas, ofrecen una posibilidad de preparar piezas tradicionales que, en caso contrario, no serían realizables.

Cuentas de coral.

on tantas cuentas y abalorios diferentes para elegir, a veces es difícil saber por dónde empezar.

Cuando vayas a preparar sencillos pendientes, pulseras y collares con cuentas de un solo color, prueba a añadir algunas cuentas de plata u oro como separadores o arandelas entre las primeras, para mejorar el lustre y darles un toque personal.

Los diseños tradicionales de los africanos y los indios americanos pueden ejecutarse en cualquier color o combinación cromática que se desee, aunque las perlas deben ser más o menos del mismo tamaño. Si se usan con profusión tamaños diferentes, el resultado se verá desigual. Elige minuciosamente las combinaciones de colores; si los tonos son demasiado parecidos será imposible ver el diseño con claridad. Cuando dicho diseño tenga tres colores, elige tonos claro, medio y oscuro. Si no estás seguro de tu elección, haz algunas piezas de muestra con distintos colores antes de embarcarte en un proyecto de más envergadura.

PAUTAS DEL DISEÑO

Los diseños tradicionales de abalorios suelen realizarse con rocallas opacas de colores primarios. Si prefieres rocallas transparentes o plateadas, el resultado obtenido será totalmente distinto.

Si tienes la suerte de tener cuentas de dibujos complejos y bellamente elaboradas, como tal vez algunas de las que se puede hacer con arcilla polimérica (ver páginas 12-13), úsalas con cuentas lisas de algún otro color. Si introduces demasiados colores o formas sobrecargarás el impacto de las cuentas especiales y desviarás la atención que reclama su belleza.

Cada proyecto de este libro presenta una lista de materiales al principio que te serán de ayuda para procurarte todo el equipo necesario para ejecutar la pieza. Estas listas son específicas de cada proyecto, pero algunos de los elementos mostrados servirán para la mayoría de los trabajos, como

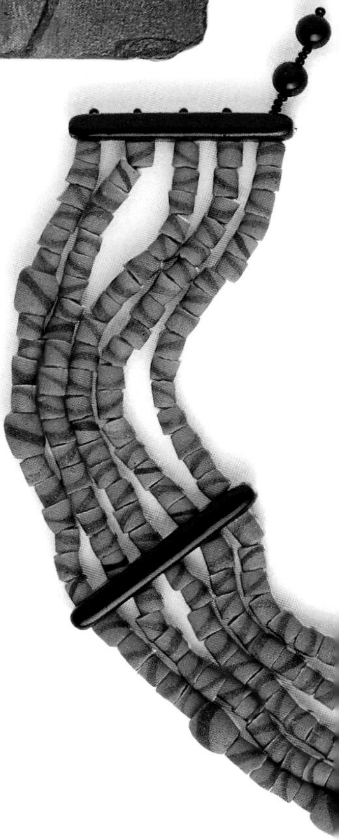

las agujas finas para ensartar las cuentas, los hilos, los pasadores y alfileres y un par de tenacillas de boca redonda.

También resulta útil contar con algunas fornituras básicas, los elementos que transforman los abalorios en piezas de joyería. Entre ellas se encuentran los enganches para pendientes, soportes de broches, cierres de calota, remates en campana, varillas separadoras, cierres y corchetes. Muchas tiendas de bisutería venden la mayoría de las fornituras necesarias para la fabricación de piezas de joyería y bisutería.

1 Alambres y aros para pendientes
2 Fornituras variadas para pendientes
3 Anillos y triángulos partidos
4 Cuentas separadoras
5 Cierres adiamantados
6 Pendientes de tuerca en disco
7 Cierres de rosca
8 Chafas
9 Cierres de calota
10 Cierres de lazo
11 Bases de broches con agujeros
12 Soportes de broches
13 Alfileres y pasadores

Para mayor variedad, las cuentas pueden también fabricarse o decorarse en casa. La mayoría de las tiendas de bisutería guardan cuentas de madera sin barnizar; evita las cuentas barnizadas, ya que la pintura no se adherirá de forma satisfactoria. Utiliza pinturas acrílicas y aplica una capa de barniz transparente una vez que se seque la pintura.

Hay varias clases de arcilla polimérica disponible con diversos nombres de marca. Sin embargo, todas ellas son básicamente iguales, y sólo varían en la gama de colores que ofrecen y en el grado de maleabilidad. Las cuentas planas de arcilla polimérica pueden decorarse con pinturas acrílicas, que se aplican antes o después del horno. También es posible usar pinturas al agua, pero en su mayoría éstas no cubren bien, aunque se lograrán algunos efectos interesantes y merece la pena experimentar con ellas. También están las coloridas pinturas para tela, que incluyen acabados rutilantes comercializados para decorar camisetas, y que se usan de nuevo antes o después del horno.

El tiempo de horno varía ligeramente según la marca, por lo que siempre debe consultarse el paquete. Dado que un exceso o defecto de horno puede

MATERIALES
CASEROS

PRIMERO LA SEGURIDAD

•

Las arcillas poliméricas desprenden vapores tóxicos. Trabaja siempre en salas bien ventiladas y, como precaución adicional, no dejes que permanezcan en la cocina niños ni animales domésticos (incluidos pájaros) mientras horneas las cuentas de arcilla. El plastificante de las arcillas sin hornear se lixivia, por lo que no deben guardarse ni trabajarse en o con utensilios y recipientes que se vayan a utilizar para preparar alimentos. Como precaución añadida, no uses artículos hechos de arcilla, ni siquiera horneados, para guardar o servir la comida. Lávate siempre las manos a fondo después de trabajar con arcillas poliméricas.

echar a perder todo el trabajo, y como los distintos hornos trabajan de maneras diferentes, lo mejor es utilizar el termostato del horno de manera que pueda alcanzarse la temperatura óptima dentro del mismo para conseguir un resultado preciso y uniforme. También conviene experimentar con piezas de muestra antes de perder demasiado tiempo y esfuerzo en hacer algo especial para descubrir, al cabo, que se ha echado a perder.

Haz los agujeros en las cuentas antes de meterlas al horno. Para algunas de ellas puede resultar adecuada una pequeña aguja de punto o un alambre afilado, si bien otras requerirán instrumentos mucho más refinados. Lograrás unos agujeros más limpios si introduces el instrumento primero por un lado y después por el otro para que los dos orificios se encuentren en el centro. Si intentas horadar toda la pieza de una vez, tendrás que alisar los bordes rugosos que se forman cuando el instrumento emerge por el lado contrario.

CUENTAS DE MADERA PINTADA

Para sorprender con tus adornos personales, decora una variedad de cuentas de madera usando pinturas metálicas y de colores.

1 Encaja una cuenta en el mango de un pincel viejo para sujetarla.

2 Pinta el color de base con un pincel grande.

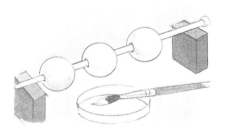

3 Pasa la cuenta pintada en un alambre o una aguja de punto y déjala secar.

4 Repite los pasos 1-3 con las demás cuentas.

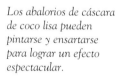

Los abalorios de cáscara de coco lisa pueden pintarse y ensartarse para lograr un efecto espectacular.

5 Cuando la capa base esté seca, saca las cuentas del mango del pincel usado en el paso 1 y decóralas como te guste. Déjalas secar entre un color y el siguiente.

6 Cuando todas las cuentas estén decoradas y totalmente secas, cúbrelas con una capa uniforme de barniz y déjalas secar. Monta el collar.

Combina el color de la cinta de cuero con los tonos de los abalorios pintados.

El uso imaginativo de los colores producirá cuentas de polímeros sorprendentes. Aquí se explican las técnicas más sofisticadas, aunque se puede empezar también con cuentas de color liso.

Cuentas jaspeadas de polímero.

La arcilla polimérica blanca añade luminosidad a las cuentas jaspeadas.

NECESITARÁS

•

Para las cuentas jaspeadas

- 2-3 colores diferentes de arcilla polimérica
- Rodillo
- Cuchilla de bricolaje
- Aguja perforadora

Para las cuentas milflores

- 5-6 colores diferentes de arcilla polimérica
- Rodillo
- Cuchilla de bricolaje
- Aguja perforadora

CUENTAS JASPEADAS

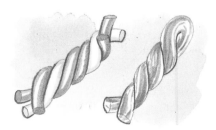

1 Toma las arcillas y amásalas juntas. Deja de mezclarlas antes de que los colores se fundan por completo y formen uno diferente y en el punto en el que todavía puedan verse los distintos colores.

2 Arrolla la arcilla para formar un rulo de 1 cm de espesor.

3 Usa una cuchilla de bricolaje para cortar el rulo en fragmentos iguales y modele las piezas con la palma de las manos para conseguir bolas lisas de tamaño uniforme.

4 Haz un agujero que atraviese las cuentas y hornéalas de acuerdo con las instrucciones del fabricante.

Combina las cuentas de polímero con pequeñas cuentas de cerámica e hilos de colores.

3 Repite el paso 2 con otro color, pero no envuelvas otro color alrededor del rulo. Córtalo en cinco piezas uniformes.

Cuentas milflores de polímero.

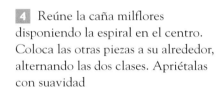

4 Reúne la caña milflores disponiendo la espiral en el centro. Coloca las otras piezas a su alrededor, alternando las dos clases. Apriétalas con suavidad

5 Envuelve la caña completa en otra lámina de arcilla y arróllala con cuidado hasta que tenga unos 6 mm de diámetro. Utiliza la cuchilla de bricolaje para cortar rebanadas de la caña. Deberás desechar los dos extremos, que tendrán una forma incorrecta.

6 Haz las cuentas de base de una arcilla de color liso, estirando las piezas pequeñas en las palmas de las manos para formar bolas suaves.

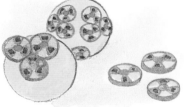

7 Cubre cada bola con rebanadas milflores, apretándolas con suavidad pero con cuidado de no aplastar las bolas. Déjalas descansar durante unas horas antes de meterlas al horno siguiendo las instrucciones del fabricante.

CUENTAS MILFLORES

1 Arrolla dos láminas de arcilla de diferente color hasta que tengan unos 3 mm de grosor y ponlas una sobre otra. Enróllalas juntas.

2 Toma un tercer color y moldéalo con las manos en forma de un rulo largo y fino de unos 2,5 cm de diámetro. Arrolla otro color en una lámina de unos 3 mm de espesor y envuelve con ella la forma del rulo. Procede a arrollarle con cuidado con las manos para formar un rulo más largo y fino. Corta el resultado en cinco piezas uniformes.

Las cuentas milflores pueden ser tan cortas o largas como se desee.

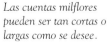

ENFILADO

L a labor de enfilado es algo más que simplemente poner cuentas en un hilo. A continuación se ofrece una lista de los fundamentos, aunque no debe olvidarse que también pueden ensartarse cuentas en madejas vistosas de hilos para bordar, canutillos de goma, cadenas muy finas, cintas y cordones. Da rienda suelta a tu creatividad.

TIPOS DE HILOS Existen muchos niveles diferentes de enfilado o ensartado de cuentas, y un buen modo de empezar consiste en enfilar cuentas grandes y brillantes en una cuerda elástica para crear sencillas pulseras. Haz dos nudos y pega el nudo dentro de una cuenta grande para fijarlo.

Figura 1.

Figura 2.

En labores sencillas de ensartado puede usarse también cuero. Éste es un medio excelente para lucir unas pocas cuentas especiales, o para enfilar piezas grandes y pesadas cuando tienen agujeros bastante amplios. Pueden adquirirse correas de cuero redondo en las mercerías o cordones de cuero en las zapaterías. No olvides verificar el tamaño de los agujeros de las cuentas antes de adquirirlos. La manera más sencilla de usar el cuero consiste en enfilar las cuentas, anudando ambos lados del diseño por seguridad, y después ensartar los dos extremos del cuero a través de una cuenta ancha y resistente y anudar las terminaciones del cordón.

Las formas más sofisticadas de enfilado utilizan monofilamento de nailon, que puede comprarse en las mercerías o como sedal de pesca (pídalo para un peso de entre 5,4 kg y 9 kg, dependiendo de las cuentas que vaya a usar). El hilo de nailon es muy bueno para cuentas baratas y alegres, pero no cuelga de forma demasiado elegante. No es necesario ensartarlo con aguja, si bien es preciso fijarlo con perlas de compresión. Deja un pequeño espacio, de unos 6 mm, entre las cuentas y el cierre, ya que el monofilamento de nailon tiende a contraerse con el tiempo.

El hilo con recubrimiento de nailon es una cuerda especial para enfilado. Está formada por finas tiras de cable de acero dentro de un revestimiento plástico. Nuevamente, debe asegurarse al cierre con perlas de compresión. Este hilo es conveniente para cualquier uso, sobre todo en cuentas pesadas. Es muy resistente para su diámetro, pero no se recomienda para llevar cuentas ligeras, porque no colgarían bien y tenderían a enroscarse.

Para un enfilado más especial se dispone de cuerdas de nailon, poliéster y seda. Todas ellas deben asegurarse al cierre, anudadas o con ayuda de una calota. El poliéster puede adquirirse

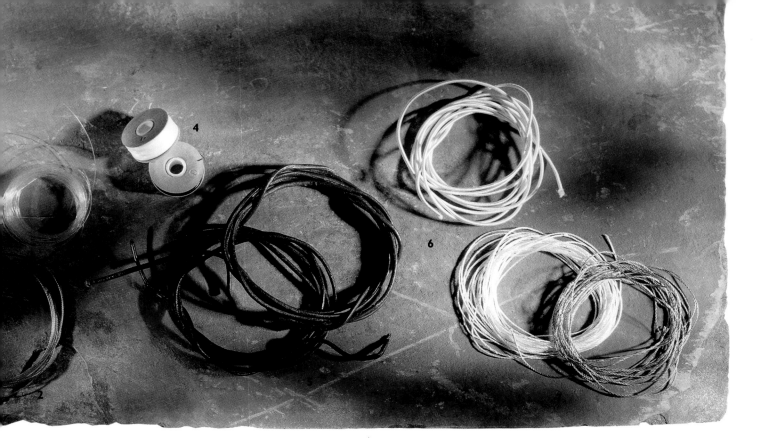

ya encerado, lo que facilita el enfilado sin necesidad de aguja. Se estira con el tiempo, por lo que conviene que deje colgando el trabajo durante unos días, sobre todo si vas a usar cuentas pesadas, antes de terminar el segundo extremo. La seda puede comprarse en cartones con una aguja en el extremo; es bastante cara, pero excelente para cuentas finas. El cordón de nailon puede usarse con aguja o endurecido en el extremo. Para conseguir esto último, ponga pegamento fuerte en dicho extremo.

ANUDADO Se usa con mucha frecuencia en los extremos de un collar, para asegurar la última cuenta y el cierre, o como rasgo decorativo o protector entre las cuentas (fig. 1). Cuando se requiera un nudo grande o más seguro, conviene usar un doble nudo (fig. 2).

EQUIPO El equipo necesario para el enfilado incluye un buen par de alicates, ya sean de boca plana o redonda, para fijar los cierres y otras fornituras. Las agujas necesarias pueden comprarse en paquetes de bisutería de diferentes tamaños. También necesitarás tijeras afiladas y, para los nudos, pinzas curvas y algo para poner en los nudos; los clips abiertos resultan excelentes. Igualmente, es buena idea contar con cera de sobra por si se necesita como ayuda durante el enfilado.

ACABADO Deja siempre un cabo de hilo de 7,5 cm cuando haga el primer nudo. Después de enfiladas todas las cuentas, haz retroceder el cabo varias cuentas y luego córtalo. No cortes nunca el hilo junto a un nudo, ya que lo debilitaría. Un poco de esmalte de uñas transparente resulta práctico para fijar los nudos. Otra manera de terminar un collar es con un nudo y una calota. En este caso, ten cuidado de que la calota no corte el hilo.

1 *Cuerda decorativa*
2 *Hilo con recubrimiento de nailon*
3 *Monofilamento de nailon*
4 *Hilo de enfilar*
5 *Correas de cuero*
6 *Cuerda elástica*
7 *Hilo de seda*

ENFILADO SIMPLE

*Ensartar cuentas en una cuerda es una de las labores más sencillas
en la fabricación de bisutería. De una mezcla y combinación
creativa se obtienen collares verdaderamente llamativos.*

NECESITARÁS
•

Cuentas y fornituras para una sola cuerda

- Unos 100-150 mg de cuentas pequeñas variadas
- Hilo de enfilar
- Aguja de enfilado

Otro equipo

- Tijeras

Cuentas y fornituras para varias cuerdas

- Aproximadamente 26 cuentas grandes
- Aproximadamente 29 cuentas medianas
- Aproximadamente 500 cuentas pequeñas
- 2 tapas redondas
- 2 tapas cónicas
- 2 anillos partidos
- Un enganche grande
- Colgante vistoso (hemos usado uno con forma de figura humana)
- Aguja de enfilado
- Hilo de enfilar

Otro equipo

- Tijeras
- Esmalte de uñas transparente

ENFILADO EN UNA SOLA CUERDA

1 Toma un trozo de hilo enhebrado en la aguja y dóblalo para conseguir una longitud de unos 90 cm. Empieza a introducir las cuentas al azar hasta que hayas ensartado unos 80 cm de cuentas.

2 Reúne los dos extremos y haz un nudo junto a las cuentas. Retrocede con el hilo algunas cuentas antes de cortarlo.

3 Repite los pasos 1-2 para preparar otras tres cuerdas.

ENFILADOS EN VARIAS CUERDAS

1 Toma un trozo de hilo enhebrado doble en la aguja y deja un cabo de unos 15 cm. Coge al azar una selección de cuentas pequeñas, medianas y grandes hasta que la línea tenga unos 60 cm de largo. Deja un cabo de unos 15 cm en el otro extremo y ponlo a un lado.

2 Repite el paso 1, pero usa principalmente cuentas medianas y grandes.

3 Prepara una tercera cuerda de la misma forma y, usa sobre todo cuentas pequeñas y medianas.

4 Haz dos cuerdas más usando sólo cuentas pequeñas.

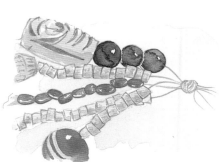

5 Reúne juntos los extremos de las cinco cuerdas con dos nudos atados cerca de las cuentas.

6 Haz pasar los hilos a través de una tapa redonda y después de una tapa cónica, y toma el hilo alrededor del cierre y rodéalo varias veces. Tira del hilo hacia atrás por las dos tapas y haz un nudo alrededor del primer conjunto de nudos. Haz pasar los hilos de nuevo por las cuentas antes de cortar. Aplica un poco de esmalte de uñas en los nudos. Repite la operación en el otro extremo, poniendo un anillo partido en vez del cierre.

7 Utiliza un anillo partido para unir el colgante a uno de los hilos de cuentas pequeñas.

Los collares con varios hilos pueden hacerse también con una sola clase de cuentas. Prepara uno formándolo con los cuatro hilos individuales.

COLLAR DE LUNA Y ESTRELLAS

*Este sencillo collar utiliza las técnicas básicas de enfilado de cuentas
y de unión de un cierre. Hemos añadido un atractivo colgante como
variante del collar redondo normal.*

NECESITARÁS

•

Cuentas y fornituras

- 4 cierres de calota
- Un cierre a presión
- 5 cuentas de rocalla, tamaño 12/0
- 46 cuentas de vidrio de 5 mm
- 44 cuentas de tubo cerámico
- 7 cuentas de vidrio de diseño oval
- 3 cuentas de vidrio de diseño liso
- Hilo con recubrimiento de nailon

Otro equipo

- Tijeras
- Alicates de boca redonda
- Aguja de coser (opcional)

PREPARAR EL COLLAR

1 Ensarta dos cierres de calota en un trozo de hilo con recubrimiento de nailon y agarra el aro del cierre. Ensarta el hilo de nuevo por las calotas y apriétalo con los alicates.

2 Pon una rocalla, una cuenta de 5 mm, otra rocalla y otra cuenta de 5 mm, y después toma una cuenta de canutillo.

3 Coge una cuenta de 5 mm, dos cuentas de canutillo, una cuenta de 5 mm y una cuenta de canutillo. Repite este paso otras cinco veces.

4 Coge una cuenta de 5 mm, una cuenta oval, una cuenta de 5 mm y una cuenta de canutillo. Repite otras dos veces la acción para tener tres cuentas ovales separadas por una cuenta de 5 mm, una cuenta de canutillo y otra cuenta de 5 mm.

5 Pon una cuenta de 5 mm, una cuenta plana, dos cuentas de 5 mm, una cuenta plana, una cuenta de 5 mm, una cuenta oval y una rocalla.

6 Toma el hilo con recubrimiento de nailon y llévalo hacia atrás hacia la cuenta oval, la cuenta de 5 mm, la cuenta plana y una de las cuentas de 5 mm, dejando la rocalla en un bucle. Para impedir que el hilo esté demasiado tirante, pasa una aguja a través del bucle.

7 Empuja hacia atrás todas las cuentas que has introducido hasta ahora en dirección al cierre y tira del hilo tenso, procurando que no se retuerza.

8 Pon cuentas para igualar el primer lado, terminando con una rocalla.

9 Coloca dos cierres de calota y pasa el hilo a través del bucle del cierre. Vuelve con el hilo a través de las calotas y apriétalo firmemente. Corta el extremo del hilo.

Para los pendientes a
juego necesitarás
12 cuentas
plateadas, 2 cuentas
de vidrio de 5 mm,
2 cuentas de vidrio
de diseño liso,
2 cuentas en estrella
plateadas, 2 cuentas
de luna plateadas,
6 pasadores y
2 enganches de
pendientes. Ver
páginas 42-45 para
instrucciones sobre
trabajo con
alambres.

CONJUNTO TRENZADO ROJO Y AZUL

Las rocallas opacas son fáciles de conseguir, pero merece la pena invertir algo de tiempo para encontrar bolas grandes realmente impactantes que sean el objeto de interés de este proyecto.

PREPARAR EL COLLAR

1 Toma unos 140 cm de hilo en una aguja y dóblalo de manera que la aguja esté en el centro. Haz un nudo.

2 Pon una rocalla azul y unos 15 cm de rocallas rojas. Corta uno de los hilos, donde se encuentra la aguja, y deja a un lado el hilo suelto.

3 Pon una rocalla azul, una bola grande azul, una rocalla azul y unas 16 rocallas rojas.

4 Repite el paso 3 dos veces más, y después coloca una rocalla azul, una bola azul grande y una rocalla azul. Tendrás así cuatro bolas azules grandes separadas por tres grupos de rocallas azules y rojas.

5 Vuelve al hilo libre y repite el paso 3 tres veces.

6 Pasa el hilo de trabajo a través de la bola azul grande final y la rocalla, y vuelve a unir el hilo en la aguja. Pon unos 15 cm de rocallas rojas y una rocalla azul.

7 Repite los pasos 1-6 dos veces más.

8 Tendrás así seis hilos en cada extremo. Pasa estos hilos a través de una bola con agujero grande, y después por una pieza de trencilla. En un lado, rodea el bucle en el enganche. En el otro, rodea un anillo partido. Pasa los hilos por ambos lados llevándolos a través de la bola de agujero grande.

9 Separa los extremos del hilo en dos grupos de tres y haz dos nudos. Fija el conjunto con una gota de pegamento. Déjalo secar, y después recorta.

PREPARAR LOS PENDIENTES

1 Sujeta una sección de 51 cm de hilo a un anillo partido, dejando un cabo de unos 10 cm. Pon una rocalla azul y una bola azul grande.

NECESITARÁS

•

Cuentas y fornituras

- 10 g de cuentas de rocalla azules, tamaño 8/0
- 50 g de cuentas de rocalla rojas, tamaño 8/0
- 6 cuentas azules de 10 mm
- 2 grandes bolas metálicas con agujeros grandes
- 3 anillos partidos
- Anillo de enganche o de tuerca
- 2 trencillas de 1 cm
- Un par de enganches de pendientes
- Aguja de enfilado
- Hilo de enfilar

Otro equipo

- Tijeras
- Pegamento multiusos transparente

2 Coloca una rocalla azul, unas 17 rocallas rojas, una rocalla azul y una rocalla roja. Sáltate las tres últimas cuentas y vuelve con el hilo a través de todas las cuentas hasta el anillo partido.

3 Da la vuelta al hilo alrededor del anillo partido y pásalo a través de la rocalla azul y la bola azul grande. Repite el paso 2.

4 Repite la operación hasta que tenga cuatro borlas, pero en la última borla deja hilo sólo hasta la rocalla azul superior.

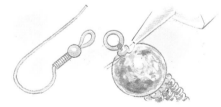

5 Ensarta el cabo del hilo a través de la rocalla azul y fija los dos extremos con dos nudos, asegurándolos con una gota de pegamento. Cuando el pegamento esté seco, recorta los extremos limpiamente y une el enganche del pendiente al anillo partido. Repite la operación para el otro pendiente.

COLLAR CON FLECOS

Hemos hecho este collar bastante largo, al estilo de la década de 1930, aunque se podrá acortar fácilmente omitiendo dos grupos de canutillos negros. Utiliza cuentas antiguas para darle un efecto más auténtico.

PREPARAR LAS TIRAS

1 Corta una tira de hilo de 255 cm y enhebra la aguja. Pon una bola facetada rosa, una rocalla morada y unos 15 cm de canutillos negros.

2 Coloca una rocalla azul, una rocalla morada, una bola facetada rosa, una cuenta facetada larga, una bola facetada rosa, una rocalla morada, una rocalla azul y unos 5 cm de canutillos negros.

3 Repite el paso 2 tres veces más, de manera que te queden cuatro bolas facetadas largas y cuatro tiras cortas de canutillos negros.

4 Pon una rocalla azul, una rocalla morada, una bola facetada rosa y una bola redonda grande.

La tira acabada del collar, vista desde atrás hasta el final de la borla, mide unos 59 cm.

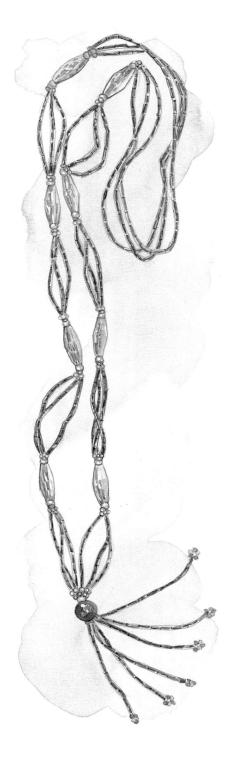

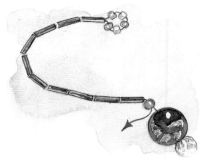

5 Pon una rocalla morada, diez canutillos negros, cinco rocallas (alternando azul y morado), vuelve a pasar el hilo por los canutillos negros y la rocalla morada.

6 Repite el paso 5 una vez más y vuelve a pasar de nuevo el hilo por la bola redonda grande y la bola facetada rosa.

NECESITARÁS

•

Cuentas y fornituras

- 18 bolas facetadas rosas de 6 mm
- 2 g de cuentas de rocalla moradas de tamaño 10/0
- 20 g de canutillos metálicos negros de 7 mm
- 2 g de cuentas de rocalla azul claro de tamaño 10/0
- 8 bolas facetadas largas
- Una cuenta redonda grande
- Hilo de enfilar
- Agujas de enfilado

Otro equipo

- Tijeras
- Pegamento multiusos transparente

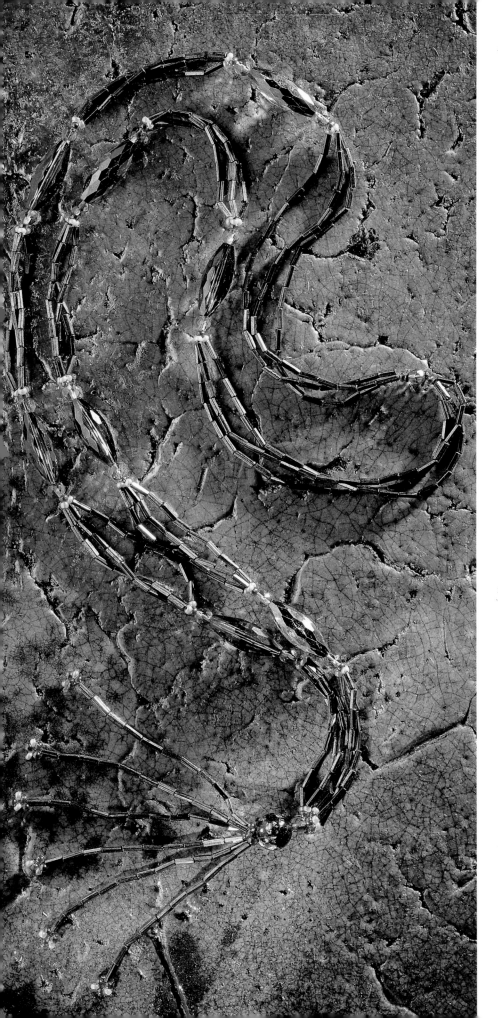

7 Elabora el segundo lado del collar poniendo una rocalla morada, una rocalla azul, unos 5 cm de canutillos negros, una rocalla azul, una rocalla morada, una bola facetada rosa, una cuenta facetada larga y una bola facetada rosa.

8 Repite el paso 7 tres veces más.

9 Coloca una rocalla morada, una rocalla azul, unos 15 cm de canutillos negros y una rocalla morada.

10 Repite toda la secuencia dos veces más, pero en lugar de poner un grupo de rocalla morada, bola facetada rosa, cuenta facetada larga, bola facetada rosa y rocalla morada cada vez, pasa el hilo a través de las cuentas existentes.

11 Una vez completadas todas las tiras, pasa todos los hilos por la primera bola facetada rosa. Ata dos nudos, uno a cada lado de la bola y asegúralos con un poco de pegamento. Déjalo secar antes de rematar los cabos sueltos.

27

COLLAR ANUDADO

La técnica del anudamiento es ideal para trabajar con cuentas más caras como, por ejemplo, las semipreciosas que se usan en este ejemplo. Comprueba que la aguja y el hilo pasan bien, ya que las bolas semipreciosas suelen tener un agujero muy pequeño.

NECESITARÁS

•

Cuentas y fornituras

- Un cierre a presión
- 24 bolas de madreperla de 8 mm
- 19 bolas de amazonita de 10 mm
- 14 remates de perla esmaltados de 9 mm
- Hilo de seda o de poliéster encerado
- Aguja de enfilado

Otro equipo

- Aguja sin punta
- Pinzas curvas de punta fina
- Adhesivo instantáneo

PREPARAR EL COLLAR

1 Corta una tira de hilo de unos 130 cm de longitud. Aunque es más de lo que vas a necesitar, si no te resultaría difícil ir uniéndolo a partir de cierta distancia del collar.

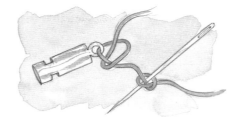

2 Haz un nudo simple a unos 10 cm del extremo e introduce una aguja sin punta entre el nudo para mantenerlo abierto. Ensarta una parte del cierre, dejando unos 12 mm entre el cierre y el nudo de sujeción.

3 Ata un primer nudo cerca del cierre, después forma cinco nudos más hasta llegar al nudo de sujeción. Usa unas pinzas finas para estirar el extremo de cada nudo.

4 Enhebra el extremo corto del hilo en la aguja de sujeción y pásalo a través del nudo. Aplica un poco de adhesivo en el extremo. Ensarta una bola de madreperla y trata de pasar el extremo corto también por la perla, aunque no es esencial.

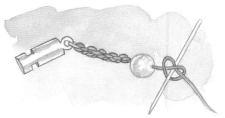

5 Haz el nudo en el hilo que queda para trabajar e introduce la aguja sin punta a través del nudo. Manten la cuenta cerca de la fila de nudos con una mano y utiliza esa misma mano para empujar el nudo con la aguja hacia la bola. Al mismo tiempo, tira ligeramente del hilo que queda para trabajar con la otra mano. Cuando el nudo esté lo más cerca posible de la cuenta de madreperla, saca la aguja del nudo, sin olvidar ir empujando el extremo a medida que trabajas. Si el nudo no queda lo bastante próximo a la cuenta, deshazlo con cuidado con las pinzas y vuélvelo a hacer. Repítelo dos veces.

6 Ensarta una cuenta de amazonita y otra de madreperla, aplicando los nudos entre cuenta y cuenta. Repite la operación cinco veces más; en total ensartarás 15 cuentas.

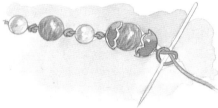

7 Continúa de esta manera, alternando cuentas de amazonita y de madreperla, pero colocando ahora remates de perla en torno a las siguientes siete cuentas de amazonita. Sigue trabajando hasta igualar la primera mitad del collar.

8 Haz un nudo después de la última cuenta madreperla y deja la aguja dentro. Pon la otra parte del cierre, dejando unos 12 mm entre él y el último nudo. Haz un nudo para unir el cierre, después otros cinco nudos más, como en el paso 3. Ensarta el extremo del hilo con el que estás trabajando a través de la aguja de sujeción y tira de él. Aplica un poco de adhesivo en el último nudo y, si es posible, ensarta el remate del hilo a través de la siguiente cuenta. Corta las puntas limpiamente una vez que se seque el pegamento.

Estos pendientes a juego están hechos con un alfiler de ojo grande y perlas de plata pequeñas; ver páginas 42-43 sobre técnicas de trabajado con alambre.

GARGANTILLA AL ESTILO VAQUERO

La longitud de esta gargantilla acabada es de unos 30 cm sin el cierre.
Para calcular el tamaño correcto, mídete el cuello y añade o quita
algunas cuentas pequeñas según sea el caso.

NECESITARÁS
•

Cuentas y fornituras
- Una rejilla de 30 mm
- Una cuenta plateada de 10 mm
- 36 cuentas de rocalla turquesa, tamaño 6/0
- 27 cuentas de cerámica negra, de unos 4 x 5 mm
- 30 cuentas de rocalla turquesa, tamaño 8/0
- 22 cuentas negras de 4 mm
- 3 cuentas tubuladas de hueso de 25 mm
- 12 calotas plateadas
- 12 cuentas tubuladas de hueso de 50 mm
- 2 varillas espaciadoras plateadas de 3 tiras
- 6 cuentas plateadas de 3 mm
- Un cierre plateado de 3 tiras
- 1,5 m de sedal de pesca (monofilamento)
- 1 m de hilo con recubrimiento de nailon
- Aguja de enfilado

Otro equipo
- Alicates planos

DECORAR LA REJILLA

1 Enhebra el sedal de pesca en la aguja. Te resultará más fácil si aprietas la punta del hilo con los alicates para aplanarlo.

2 Saca la tira por uno de los agujeros de la rejilla y vuélvela a meter por otro. Haz un nudo por detrás, dejando un cabo.

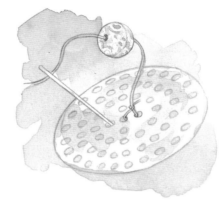

3 Une la cuenta plateada de 10 mm al centro de la rejilla pasando el hilo a la parte frontal a través del agujero del centro. Pon la cuenta y vuelve a meter el hilo por otro agujero central.

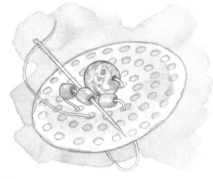

4 Pasa el hilo por el agujero del siguiente círculo. Pon tres rocallas de 6/0, dejándolas planas al lado de la cuenta central. Saca el hilo por detrás por el agujero siguiente más próximo y tira de él por el medio de las tres cuentas. Saca el hilo pasándolo por una de las cuentas. Repite el mismo paso hasta haber completado el círculo.

5 Pasa el hilo por un agujero de la siguiente fila. Pon dos cuentas de cerámica negra, colocándolas a lo largo del borde del círculo anterior de rocallas turquesa. Avanza hasta el siguiente agujero más próximo y mete el hilo entre las dos cuentas negras. Pasa el hilo por una de las cuentas y continúa añadiendo cuentas negras por todo el círculo. Cose una rocalla turquesa de 8/0 entre cada cuenta negra.

6 Usa cuentas negras de 4 mm para la última fila. Cóselas de la misma manera que las cuentas de cerámica.

7 Remata atando el hilo con el que trabajas y el cabo suelto asegurándolos bien y pasa el conjunto a través de tres de las cuentas antes de cortarlo.

PREPARAR LOS COLGANTES

1 Para colocar el colgante central, corta una nueva tira de sedal de pesca y pásala a través de uno de los tres agujeros del extremo de la rejilla. Pon una rocalla turquesa de 6/0, una cuenta de cerámica negra, una rocalla de 6/0, un canutillo de hueso de 25 mm, una rocalla de 6/0, una cuenta de cerámica, una rocalla de 6/0 y tres rocallas de 8/0. Sáltate las últimas tres cuentas y vuelve a pasar el hilo por el camino de vuelta hasta la rejilla otra vez.

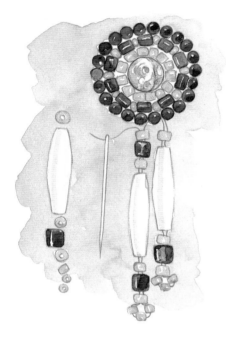

2 Pon una rocalla de 6/0, una cuenta de cerámica, una rocalla de 6/0, un canutillo de 50 mm y una rocalla de 8/0. Pasa el hilo recubierto con nailon por el centro de la varilla espaciadora, después pasa una rocalla de 6/0, una bola cerámica, un canutillo de 50 mm, una cuenta plateada de 3 mm y una calota. Ensarta el hilo por el agujero central del cierre, vuélvelo a pasar por la calota y apriétalo bien. Repite la misma operación en el otro lado de la rejilla.

3 Corta una nueva tira de hilo revestido con nailon y, contando dos agujeros desde el centro de la rejilla, ensártalo y asegúralo con un enganche. Pon una rocalla de 6/0, un canutillo de 50 mm, una rocalla de 8/0, una rocalla de 6/0, una cuenta de cerámica, una rocalla de 6/0 y una rocalla de 8/0. Ensarta el hilo por el agujero de arriba de la varilla espaciadora. Pon una rocalla de 6/0, una cuenta de cerámica, una rocalla de 6/0, un canutillo de 50 mm, una cuenta plateada de 3 mm y una calota. Pasa el hilo revestido con nailon por el agujero superior del cierre y de nuevo por la calota. Apriétalo. Repite lo mismo por el otro lado.

4 Repite el paso 3, pero empezando dos agujeros hacia abajo desde el centro de la rejilla y utilizando los agujeros de abajo en las varillas espaciadoras y el cierre.

2 Saca el hilo por el siguiente agujero de la rejilla y prepara el siguiente colgante, siguiendo el diagrama. Una vez acabado el segundo colgante, saca el hilo por el agujero por el otro lado del colgante central para que el tercero quede simétrico.

PREPARAR LAS TIRAS

1 Para elaborar la tira central, pon una calota con una tira de hilo recubierto con nailon y ensártalo en un agujero central en el borde de la rejilla. Saca de nuevo el hilo por la calota y apriétala bien con los alicates para que quede cerrada.

COLLAR DE CRISTAL ESMERILADO

Usamos varillas espaciadoras negras y cuentas negras con estas bonitas cuentas de vidrio esmerilado africanas, que resultan vistosas y son la elección perfecta para este collar de cinco tiras.

NECESITARÁS

•

Cuentas y fornituras

- 5 varillas negras espaciadoras de 5 tiras
- Unas cuantas rocallas negras de tamaño 12/0
- 2 cuentas negras de 8 mm
- 322 cuentas africanas de cristal esmerilado de 5 mm
- 8 cuentas africanas de cristal esmerilado de 10 mm
- Hilo de enfilar
- Aguja de enfilado

Otro equipo

- Tijeras

La tira superior, con dos secciones de 16 cuentas y dos secciones de 12 cuentas, mide unos 34 cm. Ten en cuenta que cualquier ajuste de tamaño deberá hacerse en todas las tiras.

PREPARAR EL COLLAR

1 Introduce una tira larga de hilo doble por el agujero superior de una de las varillas espaciadores, dejando un cabo de hilo. Pon cuatro rocallas negras, una cuenta negra de 8 mm, tres rocallas negras, una cuenta negra de 8 mm y una rocalla negra. Sáltate la última rocalla y pasa el hilo de nuevo por todas.

2 Pon 16 cuentas de 5 mm, pasa el segundo espaciador, pon 12 cuentas de 5 mm y sigue con el tercer espaciador. Pasa 12 cuentas de 5 mm e incluye el cuarto espaciador. Pon 16 cuentas de 5 mm y coloca el último espaciador.

3 Pon aproximadamente 23 rocallas para formar un bucle. Comprueba que el bucle encaja con las cuentas de 8 mm, y entonces vuelve a pasar el hilo por las dos primeras rocallas y a través de la varilla espaciadora.

4 Pasa de nuevo el hilo por todas las cuentas hasta la punta. Ata los extremos apretándolos bien, pasa el hilo por tres de las cuentas y córtalo.

5 Empieza con la segunda fila pasando por la segunda varilla espaciadora, poniendo una rocalla y retrocediendo a través de la varilla espaciadora.

6 Introduce 17 cuentas de 5 mm, avanza por la segunda varilla espaciadora, pon 14 cuentas de 5 mm en las siguientes dos secciones, después pasa 17 cuentas de 5 mm en la última sección.

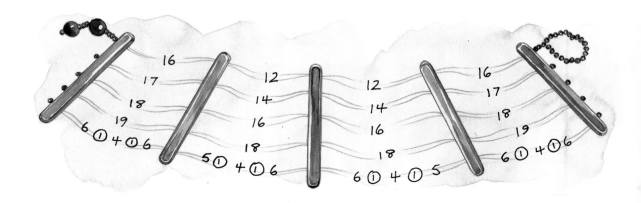

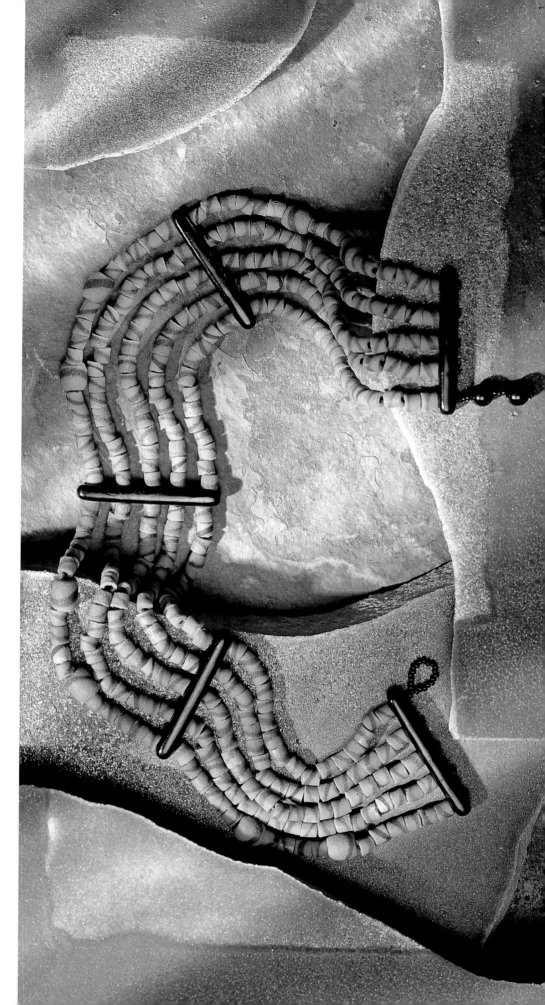

7 Avanza hasta la última varilla espaciadora, pon una rocalla, vuelve a pasar el hilo por la varilla espaciadora y por todas las demás cuentas. Remata las puntas como en el paso 4.

8 Ensarta la tercera fila como la segunda, pero introduce 18 cuentas en las dos secciones exteriores y 16 cuentas en las dos secciones interiores.

9 Ensarta la cuarta fila de la misma forma que la segunda y la tercera, pero poniendo 19 cuentas en las dos secciones exteriores y 18 cuentas en las dos secciones interiores.

10 Para la primera sección de la quinta fila, comienza como en el paso 5, pero pon seis cuentas de 5 mm, una cuenta mediana, cuatro cuentas de 5 mm, una cuenta de 8 mm y seis cuentas de 5 mm.

11 Pon cinco cuentas de 5 mm, una cuenta de 8 mm, cuatro cuentas de 5 mm, una cuenta de 8 mm y seis cuentas de 5 mm. Invierte el orden para la segunda sección interior, de manera que las seis cuentas de 5 mm queden próximas a la varilla espaciadora central. Completa la última sección como en el paso 10. Acaba como en el paso 4.

BUFANDA CON FLECOS DE ABALORIOS

El terciopelo y las perlas parecen guardar una especial afinidad, ya que la lustrosa textura de la tela hace que las cuentas de rocalla resalten más con un brillo iridiscente.

NECESITARÁS

•

Cuentas y fornituras

- Un disco azul de 30 mm
- 2 g de cuentas de rocalla dorada, tamaño 12/0
- 5 g de cuentas de rocalla morada de dos cortes
- 34 cuentas doradas de 4 mm
- 3 cuentas rojas de 10 mm
- 4 discos rojos de 4 mm
- 6 cuentas azules de 8 mm
- 4 lágrimas pequeñas de perla (unos 6 x 10 mm)
- 2 lágrimas grandes de cristal (unos 10 x 15 mm)
- 3 perlas de 8 mm
- 2 discos rojos de 14 mm
- 3 lágrimas moradas grandes (unos 15 x 22 mm)
- Hilo de enfilar
- Aguja de enfilado

Otro equipo

- Bufanda de unos 29 cm de ancho
- Alfileres de costura
- Tijeras

PREPARAR EL COLGANTE CENTRAL

1 Usa un alfiler para marcar el centro de la bufanda. Coloca dos alfileres a cada lado del alfiler central a distancias simétricas. Estos puntos deberán estar separados unos 6 cm.

2 Pasa una sección de hilo de enfilar por el centro del disco azul grande dejando un cabo de unos 7,5 cm y pon unas 25 rocallas doradas. Vuelve a pasar el hilo por el disco grande.

3 Continúa añadiendo filas de 25 rocallas doradas, hasta un total de diez filas, disponiéndolas alrededor del disco grande. Remata.

4 Ata firmemente una tira de hilo por el revés de la tela de la bufanda, en el centro, y pon 12 rocallas moradas, una cuenta dorada de 4 mm, tres rocallas moradas, una cuenta dorada de 4 mm, una cuenta roja de 10 mm una cuenta dorada de 4 mm.

5 Pasa el hilo por una cuenta del extremo de una de las filas de rocallas doradas alrededor del disco azul grande, después vuelve a pasar el hilo por todas las cuentas que acabas de recoger y da una puntada fuerte en el extremo.

6 Saca el hilo dejando una distancia de aproximadamente 1 cm por un lado del punto central y pon cuatro rocallas moradas, una cuenta dorada y 13 rocallas moradas. Pasa el hilo por las cuentas dorada, roja y dorada; a continuación, pásalo otra vez por las cuentas que acabas de poner. Da una puntada fuerte en el extremo.

7 Saca el hilo dejando una distancia de aproximadamente 1 cm más por el reborde de la bufanda y pon 15 rocallas moradas, una cuenta dorada de 4 mm y seis rocallas moradas. Pasa el hilo por las cuentas dorada, roja y dorada de nuevo, y otra vez da la vuelta por las cuentas que acabas de recoger. Da una o dos puntadas firmes y remata.

8 Repite los pasos 6 y 7 dos veces más en el otro lado del colgante.

REMATAR EL COLGANTE CENTRAL

1 Busca la fila central de abajo de las rocallas doradas en el disco azul grande y ata una tira de hilo a la rocalla por el borde. Pon cinco rocallas moradas, una perla, una cuenta dorada, una lágrima morada grande y tres rocallas doradas. Sáltate las rocallas doradas y vuelve a pasar el hilo por las cuentas que acabas de introducir y después vuelve a pasarlo por las rocallas doradas en el centro del disco azul y de nuevo por la siguiente fila de rocallas doradas, pasando el hilo por el reborde del disco.

2 Pon siete rocallas moradas, una cuenta dorada, una cuenta azul y tres rocallas doradas. Omite las rocallas doradas y vuelve pasar el hilo por las cuentas que acabas de ensartar y, de nuevo, a través de las rocallas doradas alrededor del disco azul.

3 Pasa el hilo por la fila de rocallas doradas en el otro lado del centro y repite el paso 2 para añadir otra lágrima.

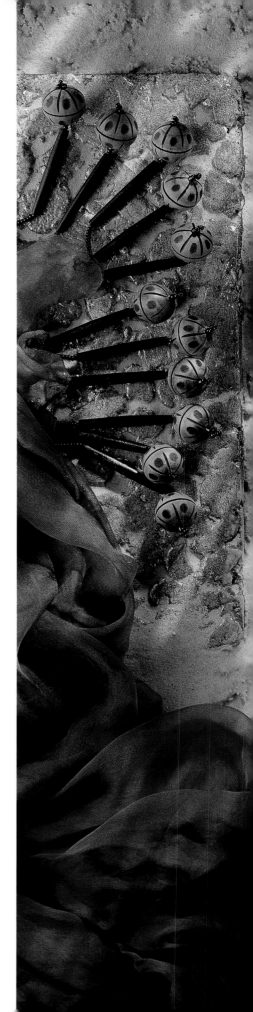

► PREPARAR LAS LÁGRIMAS DEL INTERIOR

1 Une el hilo hasta un punto cercano a uno de los alfileres de marcado. Vas a unir siete lágrimas individuales, de manera que la primera y la última se alineen con los alfileres de marcado, manteniendo un espacio uniforme con las otras cinco.

2 Pon cuatro rocallas moradas, una perla dorada de 4 mm, un disco rojo pequeño y tres rocallas doradas. Omite las tres rocallas doradas y pasa el hilo de nuevo a través del disco rojo, la cuenta dorada y las rocallas moradas. Da una puntada fuerte en el reborde de la bufanda.

3 Saca el hilo dejando una distancia de aproximadamente 1 cm por el reborde, pon ocho rocallas moradas, una cuenta dorada, una cuenta azul de 8 mm y tres rocallas doradas. Omite las rocallas doradas y vuelve a pasar el hilo por las demás cuentas. Da una fuerte puntada en el reborde de la bufanda.

4 Saca el hilo a una distancia de aproximadamente 1 cm por el reborde, pon 13 rocallas moradas, una cuenta dorada, una lágrima de perla y tres rocallas doradas. Omite las rocallas doradas y vuelve a pasar el hilo por las demás cuentas. Da una fuerte puntada en el reborde de la bufanda.

5 Saca el hilo a una distancia de aproximadamente 1 cm por el reborde, pon seis rocallas moradas, una cuenta dorada, una cuenta roja de 10 mm, una cuenta dorada, seis rocallas moradas, una cuenta dorada, una lágrima de cristal y tres rocallas doradas. Omite las rocallas doradas y vuelve a pasar el hilo por el resto de las cuentas. Da una puntada firme en el reborde de la tela.

6 Repite los pasos 4, 3 y 2 para formar un grupo de siete lágrimas simétricas.

7 Repite los pasos 1-6 en el otro lado.

PREPARAR LOS COLGANTES DEL EXTREMO

1 Une un hilo de unos 2,5 cm desde uno de los extremos de la bufanda y pon cinco rocallas moradas, una cuenta dorada, cinco rocallas moradas, una perla, una cuenta dorada, un disco rojo de 14 mm, una cuenta dorada, una lágrima morada grande y tres rocallas doradas. Omite las rocallas doradas y vuelve a pasar el hilo por el resto de las cuentas. Da una puntada firme en el reborde de la bufanda.

2 Saca el hilo a una distancia de aproximadamente 1 cm desde la lágrima que acabas de coser y pon 15 rocallas moradas. Pasa el hilo por la rocalla por encima de la perla sobre la lágrima y de nuevo por las rocallas.

3 Repite el paso 2 para añadir dos filas simétricas a cada lado de la lágrima. Las dos filas exteriores deberán tener 16 rocallas moradas.

4 Repite los pasos 1-3 en el otro extremo de la bufanda.

COLLAR DE FESTONES

Este collar recuerda un poco a la imagen de los espumillones que envuelven los árboles de Navidad, pero tiene un atractivo suficiente para llevarlo colgado al cuello. Además, los pendientes a juego le dan un toque festivo.

NECESITARÁS

•

Cuentas y fornituras

- Una cuenta negra de 10 mm
- 5 g de cuentas de rocalla negra, tamaño 8/0
- 10 g de canutillos negros
- 20 g de cuentas de rocalla mixta, tamaño 12/0
- 20 cuentas negras de 14 mm
- Aguja de enfilado
- Hilo de enfilar

Otro equipo

- Tijeras

PREPARAR EL COLLAR

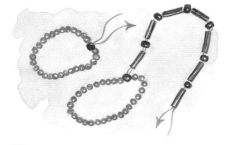

1 Para el bucle, corta una tira de hilo larga y ensarta una rocalla negra y 28 rocallas rojas, dejando un cabo de 7,5 cm. Vuelve a pasar el hilo por la rocalla negra para formar el bucle.

2 Pon un canutillo negro, una rocalla de 8/0, y continúa así hasta que queden seis rocallas y siete canutillos.

3 Pon una rocalla de 12/0 y una cuenta de 14 mm. Pon 12 rocallas de 12/0 de un color y retrocede por la cuenta grande. Repite la operación cuatro veces. Pon una rocalla de 12/0.

4 Repite el paso 2; después repite el paso 3 utilizando rocallas de diferente color. Continúa con un total de seis cuentas de 14 cm separando las rocallas por grupos de siete canutillos negros.

5 Forma un cierre recogiendo la cuenta negra de 10 mm y nueve rocallas de 12/0. Pasa de nuevo el hilo por la cuenta de 10 mm. Repite nueve filas de rocallas. Remata.

6 Partiendo del bucle del extremo, enlaza una nueva tira de hilo. Pasa por ella la primera rocalla de 8/0 por el primer hilo, después pon un canutillo negro, una rocalla de 8/0 y un canutillo negro. Repite el paso 3.

7 Continúa esta tira hasta un total de siete cuentas de 14 mm con rocallas, separadas por seis grupos de canutillos negros. Termina con cinco canutillos negros alternados con cuatro rocallas de 8/0; a continuación, un el hilo a la cuenta negra que forma el cierre.

8 Repite los pasos 6 y 7, pero partiendo del lado opuesto.

PANTALLA DE LÁMPARA CON FLECOS

El diseño de esta alegre lámpara con flecos de abalorios se inspira en el estilo clásico victoriano. Queda igual de bonita colgada del techo o en decorativas lámparas de mesa.

NECESITARÁS

•

Cuentas y fornituras

- 30 g de cuentas de rocalla roja de tamaño 12/0
- 42 canutillos de plata de 27 mm
- 42 cuentas rojas de 8 mm
- Hilo de enfilar
- Aguja de enfilado

Otro equipo

- Unos 40 cm de cinta de unión (utilizamos blanca)
- Unos 40 cm de cinta trenzada decorativa
- Una pantalla pequeña, de unos 11 cm de diámetro
- Una regla o cinta métrica
- Lápiz
- Tijeras
- Pegamento multiuso transparente
- Papel de cocina, pinzas o adhesivo poco potente

PREPARAR LOS COLGANTES

1 Comprueba que la cinta de unión y la trenza se ajustan a la parte inferior de la tulipa; después marca 42 puntos a igual distancia por el centro de la cinta de unión, dóblala justo por la mitad (de manera que los extremos cortos queden dentro) y fíjala con unos toques de pegamento.

2 Haz un nudo en uno de los extremos de una tira larga y cósela a la cinta de unión.

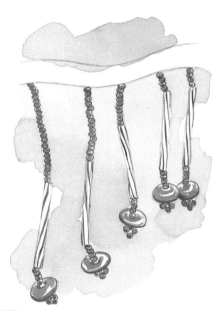

3 Pon cuatro rocallas, un canutillo, cuatro rocallas, una cuenta de 8 mm y cuatro rocallas. Omite la última cuenta y vuelve a pasar el hilo por el resto de las cuentas. Saca el hilo por la parte de atrás de la cinta de unión y la aguja por la siguiente marca hecha con lápiz.

4 Repite el paso 3.

5 Elabora el siguiente colgante recogiendo diez rocallas, un canutillo, cuatro rocallas, una cuenta de 8 mm y cuatro rocallas. Omite la última cuenta y vuelve a pasar el hilo por todas las cuentas. Saca el hilo por detrás de la cinta de unión y vuelve a sacar la aguja por la siguiente marca de lápiz.

6 Elabora el siguiente colgante poniendo 16 rocallas, un canutillo, cuatro rocallas, una cuenta de 8 mm y cuatro rocallas. Omite la última cuenta y vuelve a pasar el hilo por todas las cuentas. Saca el hilo por detrás de la cinta de unión y saca la aguja de nuevo por la siguiente marca de lápiz.

7 Ensarta el colgante más largo siguiendo el modelo de poner 22 rocallas, un canutillo, cuatro rocallas, una cuenta de 8 mm y cuatro rocallas. Omite la última cuenta y vuelve a pasar el hilo por todas las cuentas. Saca el hilo por detrás de la cinta de unión y vuelve a sacar la aguja por la siguiente marca de lápiz.

Se puede simplificar el diseño utilizando tiras de la misma longitud.

8 Repite el paso 6 (con 16 rocallas en la parte superior), después repite el paso 5 (con diez rocallas en la parte superior).

9 Repite el paso 3 dos veces.

10 Continúa de esta forma hasta haber cosido los 42 colgantes. Deberás terminar con el paso 5 (es decir, diez rocallas en la parte superior) y, al final, tendrás un total de seis colgantes largos (es decir, con 22 rocallas en la parte superior).

UNIR EL ADORNO

1 Rodea la cinta de unión para que se ajuste bien por el diámetro exterior de la pantalla y de manera que la distancia entre el primer y el último colgante sea la misma que la que hay entre los demás adornos. Los extremos de la cinta de unión no deberán solaparse.

2 Aplica una línea de pegamento por el reborde exterior de la tulipa, espera a que se ponga pegajoso y pega la cinta. Tal vez necesites sujetar los colgantes con papel de cocina para que su peso no desplace la cinta. Alternativamente se pueden utilizar pinzas o cinta adhesiva suave para mantener la cinta en su sitio hasta que se seque.

3 Aplica una línea de pegamento alrededor del diámetro exterior de la cinta de unión y pega la cinta trenzada decorativa en su sitio, rematando bien los extremos.

HILO
METÁLICO

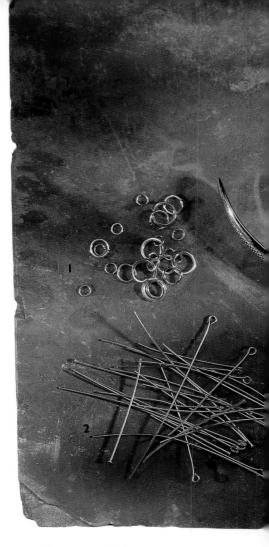

U na vez dominadas algunas técnicas básicas del trabajo con hilo metálico, tendrás la maña necesaria para llevar a cabo otros muchos aspectos de la fabricación de joyas.

Lo más importante del trabajo con hilo metálico es la práctica, pero los resultados son muy agradecidos. Al igual que los proyectos que se muestran a continuación, podrás decorar cadenas con algún colgante en cada eslabón o acoplar cuentas a sencillos aretes. También podrás poner en práctica otras técnicas con los hilos metálicos y preparar remates enrollados en los que colgar bolas a los lados o suspender un disco semiprecioso.

Figura 1.

Figura 2.

TIPOS DE HILOS Los medios más fácilmente disponibles para trabajar con hilo metálico son los alfileres y los pasadores, que se venden sobre todo para fabricar pendientes pero que pueden adaptarse con cierta facilidad a otros usos. Los alfileres tienen un extremo plano y encajan perfectamente en el extremo de una cuenta, mientras que los pasadores tienen un bucle limpio en un extremo, que resulta útil para unir varias cuentas. También pueden adquirirse rollos de hilo, disponibles principalmente en cobre revestido, en diversos grosores (de 0,4 a 1,2) y acabados, como plata y bronce. Las cuentas de madera, plástico o cristal ligero darán un resultado excelente en alfileres y pasadores, pero para las cuentas más pesadas necesitarás algo más sustancial; sería conveniente un hilo de calibre 0,8.

EQUIPO Para el trabajo con hilo metálico necesitarás alicates de boca redonda. Un par pequeño es adecuado para trabajos delicados, y para efectos más sólidos y bucles amplios puede usarse un par más grande. Evita los alicates con puntas muy largas, ya que mantendrían la pieza de trabajo muy lejos de su control. Son útiles también los cortalambres. Puede usarse una lima pequeña para alisar los bordes rugosos del hilo.

BUCLES Antes de llevar a cabo cualquiera de tus proyectos, puede ser buena idea practicar bucles con pasadores o alambre de desecho. Apoya la parte inferior del pasador en el dedo corazón de tu mano izquierda. Sujeta la parte superior con el pulgar izquierdo y el índice. Sosteniendo los alicates con la mano derecha, dobla los 6 mm superiores del hilo hacia ti (fig. 1). (Los zurdos tendrán que invertir estas instrucciones.) Si estás usando un hilo más grueso, necesitarás más longitud y deberás usar alicates más gruesos; practica para conseguir distintos efectos. Cuando la parte superior del hilo apunte hacia ti en un ángulo de 45°, mueve los alicates a la parte superior del hilo y enrolla el pasador alejándolo de ti, doblando el hilo por la parte superior de los alicates conforme se mueve. Vuelve a tomar los alicates y repite la operación (fig. 2) hasta que el hilo cierre un bucle completo en la parte superior. Cerciórate de que no hay huecos entre el bucle y la pieza recta de hilo. Cuando prepares un bucle en los dos extremos de una cuenta, comprueba que los dos están orientados de la misma forma. Recuerda siempre que cuando estás uniendo bucles, abriendo anillos partidos o añadiendo hilos, debes abrir los bucles hacia los lados de forma que se mantenga una forma redondeada clara.

1 Anillos
  partidos
2 Pasadores y
  alfileres
3 Cortalambre
4 Alicates de
  boca redonda
5 Hilo de cobre
6 Hilo de oro
7 Hilo de plata

43

PENDIENTES INNOVADORES

Unimos un variado surtido de cuentas a secciones de cadena de eslabones y el resultado es una profusión de pendientes en una fiesta de colores. Podrás hacer los pendientes tan largos o cortos como desees.

NECESITARÁS

•

Cuentas y fornituras

- 2 secciones de cadena de eslabones grandes, cada una de unos 3 cm por par
- Cuentas de lágrimas largas
- Cuentas de rocalla, tamaño 12/0
- Unas 14 cuentas variadas por par
- Anillos partidos grandes
- Pasadores y alfileres
- Enganches de pendientes

Otro equipo

- Alicates de boca plana
- Alicates de boca redonda
- Tijeras
- Cortalambre

ENSARTAR LAS CUENTAS

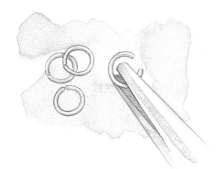

1 Usa alicates de boca plana para abrir un anillo partido hacia los lados.

2 Introduce una cuenta en el anillo partido y ciérralo. Repite la operación para el segundo pendiente.

3 Sigue ensartando una mezcla de rocallas y cuentas grandes, pasadores o alfileres, según tu gusto. Recorta, deja espacio para un bucle y prepara un bucle con los alicates de boca redonda (ver páginas 42-43). Para una longitud de 3 cm de cadena necesitarás 6-8 grupos de cuentas ensartadas por pendiente.

PREPARAR LOS PENDIENTES

1 Introduce una cuenta especial en un extremo de la cadena.

2 Abre los bucles en las cuentas ensartadas que acabas de preparar, usando alicates de boca plana, y une cada uno a un eslabón de la cadena. Cierra los bucles.

3 Sigue añadiendo cuentas a los eslabones de la cadena, dejando uno o dos eslabones libres en la parte superior.

4 Une los enganches de los pendientes.

Usamos un solo tramo de cadena para estos pendientes, pero podrían unirse varios tramos a un anillo partido y después a una fornitura de anillo para mejorar el efecto. La técnica de cadena única podría usarse también para hacer un collar o una bonita pulsera.

COLLAR MÓVIL

Ten siempre a mano pasadores de más cuando estés preparando collares como éste; no siempre es fácil hacer un bucle limpio en cada vuelta.

NECESITARÁS

•

Cuentas y fornituras

- 14 pasadores de 25 mm
- 5 pasadores de 38 mm
- 94 cuentas de madera de 4 mm
- 5 cuentas plateadas
- 8 cuentas plateadas de 3 mm
- 18 elementos móviles plateados
- 2 elementos plateados en forma de ocho
- Un cierre a presión

Otro equipo

- Alicates de boca redonda

PREPARAR EL COLLAR

1 Prepara los 19 eslabones con cuentas disponiendo las cuentas en los pasadores y haciendo bucles en la parte superior. Necesitarás 14 eslabones de cuentas de madera con una color magenta, una verde azulada, una azul, una verde azulada y una magenta. Necesitarás 5 eslabones del modo siguiente: dos eslabones de color

Para los pendientes, ensarta una cuenta de madera y dos plateadas en tres pasadores de diferentes longitudes y pon un móvil en un extremo. Une los enganches de los pendientes. La pulsera tiene cinco eslabones de 8 mm y cuentas de madera de 4 mm con cuentas plateadas, y cuatro elementos móviles. El cierre se prepara como en un collar.

magenta, uno de plata de 3 mm, un azul, uno de acabado plateado, un azul, uno de plata de 3 mm, un magenta; dos eslabones de un verde azulado, uno de plata de 3 mm, un azul, uno de acabado plateado, un azul, uno de plata de 3 mm, un verde azulado. El eslabón central tiene un magenta, un verde azulado, un azul, uno de acabado plateado, un azul, un verde azulado, un magenta. El collar mostrado mide 33 cm.

2 Tomando un eslabón con todo cuentas de madera, abre el bucle a los lados e introduce un elemento móvil. Usa los alicates para cerrar el bucle, teniendo cuidado de mantenerlo lo más liso posible. Repite la operación cinco veces más. Enlaza un eslabón magenta-plateado, un elemento móvil, un eslabón todo de madera, un elemento móvil, un eslabón verde azulado-plateado, un elemento móvil y después el eslabón central.

3 Repite el diseño del paso 2 para completar el collar.

4 Usa los elementos en forma de ocho para unir el cierre a presión a los extremos de la cadena. Recuerda abrir los elementos hacia los lados. Si no encuentras elementos en forma de ocho, prepárate dos pasadores, córtalos por encima del bucle y dóblalos hacia el extremo en dirección opuesta para formar una S apretada, o usa anillos partidos grandes.

COLLAR DE CADENA MACIZA

Este fantástico surtido de cuentas ensartadas en una cadena es fácil de hacer y de llevar. Como el diseño es complejo, usa un patrón de color sencillo.

NECESITARÁS

•

Cuentas y fornituras

- 40-50 cuentas variadas
- 14-16 anillos partidos grandes
- 37 cm de longitud de una cadena maciza
- Un cierre de enganche
- 14-16 pasadores y alfileres variados

Otro equipo

- Alicates de boca redonda

PREPARAR EL COLLAR

1 Prepara los 12 eslabones con cuentas disponiendo las cuentas en los pasadores y los alfileres. El eslabón central debe ser el más largo. Usa cuentas pequeñas en la base de los eslabones con cuentas de agujeros más grandes para evitar que se resbalen.

2 Pon la cadena en una superficie plana y prueba a ir colocando los eslabones hasta que encuentres un diseño que te guste. Los eslabones no deben estar demasiado separados del punto central, pues podrían caerte sobre los hombros al ponerte el collar.

3 Empieza con el eslabón central de cuentas. Utiliza los alicates para abrir un anillo partido hacia los lados, ensarta el eslabón en el centro de la cadena y une el anillo. Cierra el anillo partido. Repite la operación con los otros eslabones con cuentas.

4 Une dos anillos partidos en un extremo de la cadena. Abre otro anillo partido y ensártalo en el cierre. Une el anillo partido y el cierre en el otro extremo y ciérralo.

CONJUNTO AZUL CELESTE

Una pulsera elegante de modo informal con pendientes a juego, el elemento perfecto como adorno para el fin de semana. La pulsera terminada mide unos 20 cm.

NECESITARÁS

•

Cuentas y fornituras

- 50-60 cuentas variadas, 4-14 mm
- Unos 30 pasadores de 6 cm o un rollo de hilo de calibre medio
- 2 varillas separadoras de 5 tiras
- 6 alfileres
- Un cierre de 2 tiras
- 4 anillos partidos

Otro equipo

- Cortalambre
- Alicates de boca redonda

PREPARAR LA PULSERA

1 Ensarta cada cuenta por separado de manera que haya un bucle en cada extremo.

2 Une las cuentas juntas abriendo los bucles metálicos hacia los lados y juntándolos. Cierra firmemente, pero no aplastes el hilo, porque resultaría poco estético.

3 Prepara cinco tiras de cuentas enlazadas, todas de la misma longitud (las tiras mostradas en la imagen son de unos 16,5 cm de largo).

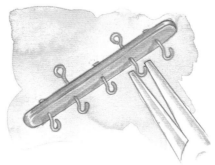

4 Ensarta un alfiler a través del orificio central y los dos agujeros exteriores de cada varilla separadora, cerciorándote de que todos los bucles caen al mismo lado. Ensarta los pasadores a través de los otros cuatro agujeros (dos en cada varilla separadora), haciendo los bucles en los lados rectos.

5 Une las tiras de cuentas con los bucles en las varillas separadoras.

6 Usa anillos partidos para enlazar el cierre de la pulsera con los bucles de las varillas separadoras.

PREPARAR LOS PENDIENTES

1 Ensarta cada cuenta por separado de forma que haya un bucle en cada extremo. Elige dos cuentas idénticas para la parte central y ensarta un alfiler a través de cada una, haciendo un bucle en un extremo.

2 Ensarta un alfiler a través de uno de los agujeros exteriores de cada varilla separadora. Corta el hilo al tamaño y haz un bucle.

3 Repite el paso 2 con los otros agujeros en ambas varillas separadoras, pero dejando libres los agujeros centrales.

NECESITARÁS

•

Cuentas y fornituras

- 36 cuentas variadas, 4-10 mm
- 2 cuentas de 14 mm
- 2 cuentas de 5 mm
- 15 pasadores o un rollo de hilo de calibre medio
- 10 alfileres
- 2 varillas separadoras de 5 tiras
- Un par de enganches de pendientes

Otro equipo

- Cortalambre
- Alicates de boca redonda

4 Prepara las gotas uniendo juntas las cuentas ensartadas. Necesitarás cuatro tiras (dos por cada pendiente), dos más largas que las otras, de forma que cuando se enlacen con las varillas separadoras no se superpongan a ellas.

5 Enlaza una de las tiras largas con el bucle exterior en una de las varillas separadoras. Reúne una de las tiras cortas con el bucle interior. Repite la operación para la otra varilla separadora.

6 Ensarta un pasador a través del agujero central de cada varilla separadora. Ensarta una cuenta de 14 mm y una cuenta de 5 mm en cada alfiler. Corta el alfiler a la longitud correcta, haz un bucle y empalma el enganche de pendiente.

7 Enlaza las gotas centrales con el extremo inferior de los bucles. Une las dos tiras exteriores con sus bucles correspondientes en cada varilla separadora.

Cuando calcules la longitud de las tiras para que te quepa la pulsera en la muñeca, recuerda incluir el cierre en la medida final.

COLLAR DE CUENTAS DE CRISTAL

Cuando domines la técnica de ensartar cuentas en hilos metálicos, te sorprenderás de la variedad de piezas que puedes preparar. Este conjunto de cristal es espléndido para una fiesta de noche.

NECESITARÁS

•

Cuentas y fornituras

- Unos 23 pasadores
- 72 bolas facetadas de cristal de 8 mm
- 26 bolas facetadas de cristal de 6 mm
- 6 bolas facetadas de cristal de 4 mm
- Unos 9 alfileres
- 3 lágrimas grandes con orificios verticales
- 4 anillos partidos de 5 mm
- 4 lágrimas pequeñas con orificios horizontales
- 2 calotas
- 24 cuentas doradas de 3 mm
- Un cierre de una sola tira
- Hilo multifilamento grueso
- Aguja de enfilado

Otro equipo

- Alicates de boca redonda
- Cortalambre

PREPARAR LAS CUENTAS

1 Usa los pasadores y haz un bucle a ambos lados de 38 cuentas de 8 mm.

2 Repite el paso 1 usando 24 cuentas de 6 mm.

3 Usa los alfileres y haz un bucle en seis cuentas de 4 mm y en las tres lágrimas grandes.

4 Ensarta los cuatro anillos partidos en la parte superior de las cuatro lágrimas pequeñas.

5 Prepara las cuentas según se muestra en el diagrama.

PREPARAR EL COLLAR

1 Corta un trozo de 50 cm de hilo y anuda un extremo. Incluye una calota y apriétala en el nudo.

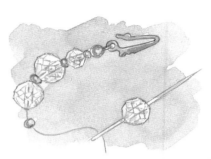

2 Ensarta en el multifilamento una cuenta de 3 mm, una cuenta de 6 mm, una cuenta de 3 mm y una cuenta de 8 mm. Después, empezando por la cuenta de 3 mm, ensarta cuentas de 3 mm y 8 mm alternativamente hasta sumar un total de 11 de cada una.

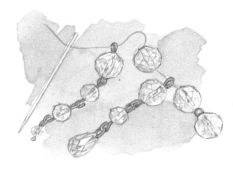

3 Pasa el hilo a través del bucle superior de la primera cuenta, y después pon una cuenta de 8 mm. Continúa colocando las cuentas en orden, alternando cada una con una cuenta de 8 mm, hasta introducir todas en el hilo.

4 Pon una cuenta de 8 mm después de la última, después una de 3 mm. Alterna cuentas de 8 mm y 3 mm, hasta que haya 11 cuentas de 8 mm.

5 Después de la última cuenta de 3 mm, ensarta una cuenta de 6 mm y otra de 3 mm. Mete la otra calota en el hilo y haz un nudo grande en el mismo de forma que se asiente en la calota. Ata más nudos en caso necesario para mantener firme el hilo. Corta el hilo y aprieta la calota en el nudo.

6 Ensarta el bucle en la calota a través del bucle en el cierre y ciérralo. Repite la operación en el otro lado.

Cada pendiente está hecho de dos pequeñas lágrimas con orificios horizontales, una lágrima grande con un orificio horizontal y una bola facetada de cristal de 4 mm.

Sencillos colgantes como el de la imagen son adecuados para aprovechar el material sobrante o conjuntos impares de cuentas.

NECESITARÁS

•

Cuentas y fornituras

- 7 cuentas plateadas de 2,5 mm
- 5 alfileres
- 5 lágrimas con flores largas de color rosa
- Un rollo de hilo metálico de calibre medio
- 4 cuentas verdes de 4 mm
- 5 anillos partidos pequeños
- Una cuenta peruana redonda de color rosa
- Un colgante de bronce de 5 tiras
- Un anillo partido mediano

Otro equipo

- Alicates de boca redonda
- Cortalambre

COLGANTE DE CINCO PIEZAS

El trabajo con hilo metálico se presta bien a este sencillo colgante, que es ideal por las diversas formas de cuentas y colores diferentes en forma de lágrima que existen en el comercio.

PREPARAR LAS LÁGRIMAS

1 Coloca una cuenta plateada en la parte inferior de un alfiler, y después añade una cuenta en forma de lágrima. Corta el hilo a la longitud adecuada y haz un bucle con los alicates. Repite este paso con todas las cuentas de lágrimas.

2 Toma un pedazo sobrante de hilo metálico, haz un bucle en un extremo e introduce una cuenta verde. Haz un bucle en el otro extremo del alambre. Repite este paso con todas las cuentas verdes.

3 Haz un bucle en un extremo de la longitud del hilo metálico y pon una cuenta plateada, una cuenta rosa y otra cuenta plateada. Haz un bucle en el otro extremo del hilo.

PREPARAR EL COLGANTE

1 Cuando se hayan ensartado todas las cuentas, usa un anillo partido para unir una de las cuentas al bucle externo del colgante. Abre un bucle hacia los lados en una de las otras lagrimas y pon una cuenta verde. Usa un anillo partido para unir ésta a una de las otras lágrimas de los bucles internos del colgante. Incluye una cuenta verde unida a otra lágrima, después añade la cuenta rosa redonda en la parte superior. Únela al bucle central del colgante con un anillo partido.

2 Añade las restantes lágrimas exteriores del mismo modo que en el paso 1.

3 Abre el anillo partido mediano y únelo al orificio de la parte superior del colgante. Ensarta un tramo de cuerda o cuero para formar la parte del cuello. Anuda el cuero en la longitud que desees.

FLORES DECORATIVAS

El hilo metálico ayuda a mantener la forma de estas flores, por lo cual puede usarse esta técnica para preparar ramos o ramilletes duraderos, o decoraciones para adornar mesas.

NECESITARÁS

•

Cuentas y fornituras para la orquídea

- 6 m de hilo metálico fino
- 15 g de tres tonos de cuentas de rocalla verde, tamaño 8/0, mezclados
- 5 g de cuentas de rocalla morada clara, tamaño 8/0
- 5 g de cuentas de rocalla morada oscura, tamaño 8/0
- Una cuenta morada de 6 mm

Otro equipo

- Cortalambre
- Alicates de boca redonda

Cuentas y fornituras para la rosa

- 6,5 m de hilo metálico fino
- 15 g de cuentas de rocalla roja, tamaño 8/0
- 5 g de cuentas de rocalla verde, tamaño 8/0
- 50 cm de hilo metálico fino

Otro equipo

- Cortalambre
- Alicates de boca redonda

ORQUÍDEA MORADA

PREPARAR LAS HOJAS

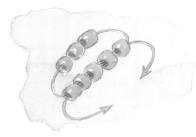

1 Corta un tramo de 50 cm de longitud. Ensarta tres rocallas verdes y empújalas hacia el centro del hilo. Pon cinco rocallas verdes con un extremo de hilo y pasa el otro extremo a través de estas cinco rocallas. Tira del hilo firmemente.

2 Toma siete rocallas variadas en un extremo del hilo y pasa el otro extremo a través de las siete.

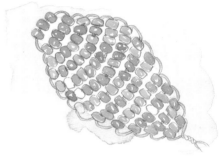

3 Sigue disponiendo las rocallas según el diagrama. Recuerda tirar fuerte del hilo después de añadir cada fila de rocallas.

4 Cuando hayas terminado el patrón, gira los dos extremos de hilo hasta que tengan un grosor de unos 5 cm. Corta el hilo.

5 Haz cuatro hojas más del mismo modo.

▶

Este conjunto rosa está hecho del mismo modo que la orquídea, pero, en vez de hojas, se han usado canutillos plateados, rocallas rosas y grandes cuentas ovales de tono rosado como base de los cinco estambres, mientras que para los cinco pétalos se prefirieron un rosa claro y rocallas transparentes.

PREPARAR LOS PÉTALOS

1 Corta un trozo de 50 cm de hilo metálico. Ensarta las tres rocallas moradas claras y empújalas al centro del hilo. Pon una rocalla morada clara, tres moradas oscuras y una morada clara con un extremo del hilo y pasa el otro extremo a través de estas cinco rocallas. Estíralo.

2 Pon una rocalla morada clara, cuatro moradas oscuras y una morada clara, y coge el otro extremo haciéndolo pasar por las seis rocallas. Tira bien del hilo.

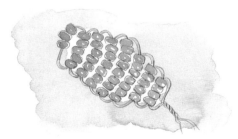

3 Sigue poniendo rocallas, según el diagrama. Cuando hayas completado las filas, retuerce los hilos hasta tener un tallo de unos 5 cm. Corta el hilo.

4 Prepara cuatro pétalos morados más de la misma forma.

PREPARAR LA FLOR

1 Toma la cuenta morada grande y ensártala en el centro de un tramo corto de hilo. Retuerce los dos extremos de hilo juntos.

2 Enrosca los tallos de dos de los pétalos juntos alrededor del hilo de la cuenta grande. Retuerce los otros tres pétalos, de uno en uno, alrededor del tallo formado por los dos primeros, modelándolos en forma de flor.

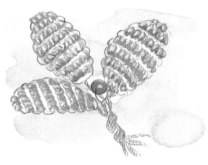

3 Retuerce los tallos de las hojas, uno por uno, alrededor del tallo de la flor, disponiendo las hojas entre ellos, pero ligeramente por debajo de los pétalos.

4 Cuando hayas terminado la flor, toma un tramo final de hilo y, empezando por la parte superior del tallo, envuélvelo firmemente sobre los otros hilos para hacer un bonito tallo. Corta el hilo que sobre por la parte inferior.

ROSA ROJA

PREPARAR LOS PÉTALOS

1 Corta un tramo de 50 cm de longitud de hilo metálico fino. Ensarta dos rocallas rojas y empújalas hacia el centro del hilo. Pon cuatro rocallas rojas con un extremo del hilo y haz pasar el otro extremo por las cuatro rocallas. Tira fuerte del hilo.

2 Pon seis rocallas y haz pasar el otro extremo del hilo a través de las seis rocallas. Tira fuerte del hilo.

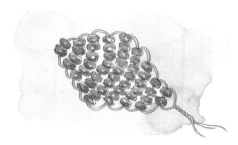

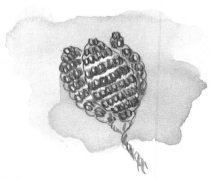

3 Continúa poniendo rocallas, siguiendo el diagrama. Cuando remates las filas, retuerce los dos hilos juntos hasta tener un tallo de unos 5 cm. Corta los hilos.

4 Haz otros ocho pétalos de la misma forma, apretando el hilo ligeramente de manera que se curve un poco hacia dentro.

5 Retuerce los tallos de tres de los pétalos juntos, sujetando los pétalos hacia arriba justo debajo del brote.

6 Une los tallos de tres pétalos más justo por debajo del brote.

7 Por último, une los tres últimos pétalos de manera que se abran ligeramente hacia fuera y caigan justo por debajo de los otros.

PREPARAR LAS HOJAS

1 Corta un trozo de 50 cm de
longitud de hilo metálico fino. Ensarta
una rocalla verde y empuja la rocalla al
centro del hilo. Pon otras dos rocallas
verdes con un extremo del hilo y haz
pasar el otro extremo a través de estas
dos rocallas. Tira fuerte del hilo.

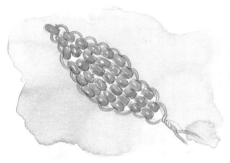

2 Sigue poniendo rocallas, según el
diagrama. Haz dos hojas.

PREPARAR LA FLOR

1 Corta el tramo de hilo metálico
mediano y retuércelo en el tallo de la
rosa para preparar un tallo de unos
15 cm de largo.

2 Toma una hoja y retuércela en el
tallo a 1 cm aproximadamente de la
parte inferior de la rosa. Gira la segunda
hoja a 1 cm aproximadamente por
debajo de la primera hoja.

3 Retuerce un tramo de hilo metálico
fino a lo largo del tallo para conseguir
un acabado limpio. Corta todos los
extremos.

*Usa estas flores para dar un toque
personal al envoltorio de los regalos
en las ocasiones especiales.*

TRABAJOS EN Y TEJIDOS

Gargantilla de zafiro

Collar de perlas adiamantado

Broches de zapatos

Correa de reloj de canutillos cosidos

Paño para jarra de leche

Collar con flecos

Pendientes de roseta

Collar de roseta

Colgante de roseta

Broche de cabujón

Pulsera de puntada peyote

Aros de servilleta para fiestas

Pulsera tejida

Colgante tejido

Cinturón tejido

Gargantilla de color metálico

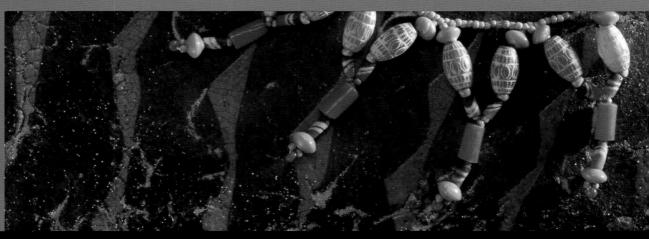

TELAR A MANO

Las piezas de tejido con cuentas recuerdan los elaborados trabajos de artesanía de los indios norteamericanos y de los pobladores de Sudáfrica, así como las gargantillas de perlas victorianas.

EQUIPO Necesitarás agujas finas de enfilado para trabajos en telar y tejidos a mano, que se venden en tamaños numerados, donde los números más altos corresponden a las agujas más finas. A menudo, con los telares de abalorios se proporciona algodón fino, pero resultarán más resistentes los hilos de poliéster muy finos. Podría usarse un hilo no elástico; salvo que las cuentas sean muy pequeñas, resultan ideales los hilos de algodón o poliéster encerados o de seda. Cuando se trabaja con cuentas pequeñas, se necesita buena iluminación y pequeños recipientes para las cuentas. Los vasos de yogur son demasiado ligeros.

Se pueden comprar cajas de plástico transparente o bandejas con divisiones, que resultan ideales. También es de gran ayuda un par de pinzas curvas de punta fina. Es útil asimismo contar con algo de cera de sobra a mano.

TELAR Se puede adquirir un telar de abalorios metálico o de madera, y este telar debe ser sólido y resistente, pues en caso contrario podrían tenerse dificultades al aplicar tensión. Utiliza hilo de urdimbre resistente (a lo largo), como el hilo de seda sugerido en los proyectos. Introduce el hilo en el telar según se muestra (*fig. 1*), dejando más hilo del necesario para el patrón. Si necesitas más resistencia, dobla el hilo en la urdimbre exterior. Por ejemplo, usa nueve hilos de urdimbre para una anchura de seis perlas. Debes cortar los hilos de urdimbre unos 50 cm más largos de lo planeado según el diseño. Cuando empieces a introducir las cuentas en el telar, corta unos 90 cm de hilo de enfilar. Utiliza un hilo encerado o mantenlo con suficiente cantidad de cera mientras trabajas, para que no se enrede.

La colocación de los hilos en las cuentas una vez trenzadas en un telar se muestra con claridad en la *fig. 2*. Cuando necesites más hilo, cerciórate de anudarlo en el hilo de trabajo y entreteje tiras a través de las cuentas de forma que se cubra el nudo.

Puedes preparar tu diseño en una plantilla; recuerda que las rocallas no son totalmente redondas, por lo que tu diseño se alargará un poco.

TEJIDO A MANO Las cuentas pueden tejerse en un telar, dejando espacio para patrones menos geométricos y detalles complejos con flecos. El tejido a mano se suele hacer con cuentas de rocalla, y se necesita una calidad uniforme, como la que se obtiene con rocallas japonesas.

INSTRUCCIONES PARA PREPARAR UN TELAR Ata el número requerido de hilos de urdimbre juntos con un nudo en un extremo. Recorta los hilos cerca del nudo. Pon el nudo debajo del clavo en el rodillo del telar lo más cerca posible de ti. Divide los hilos de urdimbre en dos mitades y gira el carrete hasta que tengas suficiente hilo de urdimbre para anudarlo y situarlo debajo del clavo en el otro rodillo. Gira este segundo rodillo hasta que los hilos de urdimbre queden bien tensos sobre las varillas separadoras. Utiliza las pinzas para separar cada hilo de urdimbre en su propia ranura. Vuelve a tensar los rodillos cuando todos los hilos de urdimbre estén en su posición. Ahora podrás unir el hilo de enfilar con el hilo de urdimbre exterior, iniciando así tu proyecto.

1 Rocallas opacas
2 Rocallas transparentes
3 Telar de abalorios
4 Hilos de urdimbre
5 Cera de enfilado

Figura 1.

Figura 2.

GARGANTILLA DE ZAFIRO

Para esta gargantilla de estilo eduardiano hemos usado bolas facetadas de color zafiro claro, en un diseño de elegancia intemporal apto para cualquier adorno moderno.

NECESITARÁS

•

Cuentas y fornituras

- 138 bolas de zafiro de 8 mm
- 2 g de cuentas de rocalla, tamaño 12/0
- Hilo de enfilar encerado
- Aguja de enfilado

Otro equipo

- Tijeras

Esta técnica es válida para una amplia variedad de formas y colores de cuentas diferentes. Cuando la domines, podrás probar con otras piezas: pulseras, correas de reloj e incluso longitudes menores para adaptar los enganches de los pendientes.

PREPARAR LA GARGANTILLA

1 Dobla una pieza larga de hilo de enfilar. Pon seis cuentas, únelas en círculo, dejando un cabo de 15 cm, y pasa el hilo a través de dos cuentas.

2 Pon cinco cuentas, sáltate una en el primer círculo y pasa el hilo a través de la cuenta siguiente.

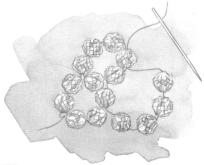

3 Pon cuatro cuentas, sáltate una en el segundo círculo y pasa el hilo a través de la siguiente cuenta.

4 Repite el paso 3, tomando cuatro cuentas, hasta que queden tres cuentas.

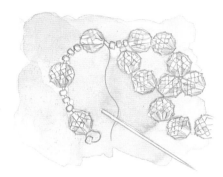

5 Cuando hayas terminado la secuencia final de cuatro, corre el hilo hacia atrás a través de dos de las cuentas. Pon tres rocallas, una cuenta, tres rocallas, una cuenta, tres rocallas, una cuenta y una rocalla. Sáltate la última rocalla y pasa el hilo hacia atrás hasta la primera rocalla ensartada. En vez de hacer pasar el hilo a través de esta rocalla, toma otra y pasa el hilo a través de la siguiente cuenta hasta aquélla de la que salió originalmente el hilo. Remata.

6 Usa el cabo del otro extremo para poner unas 19 rocallas. Recoge el hilo hacia atrás para hacerlo pasar por la segunda rocalla, pon otra rocalla y haz correr el hilo a través de la siguiente cuenta hasta aquélla de la que surgió originalmente el cabo. Remata el hilo.

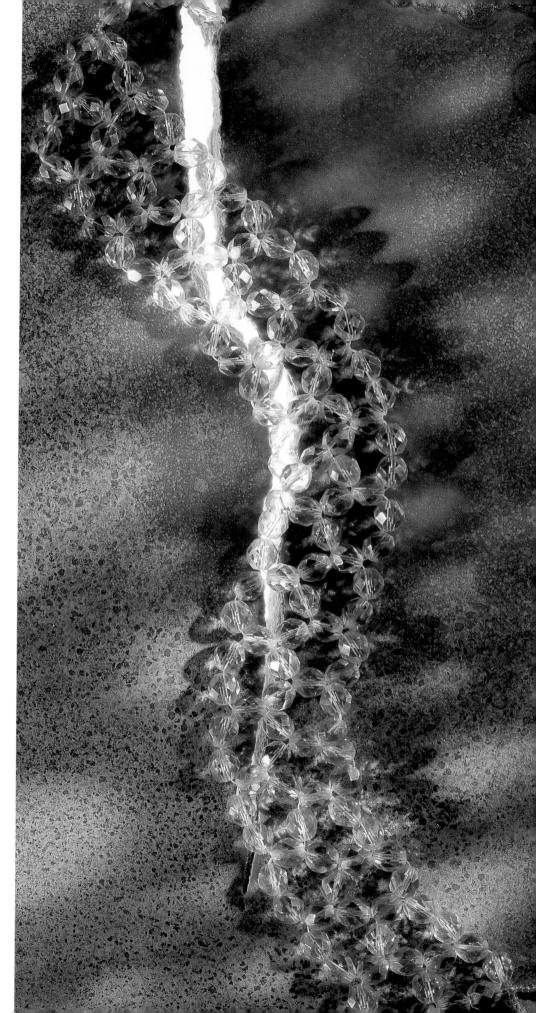

COLLAR DE PERLAS ADIAMANTADO

Este elegante collar es el accesorio clásico perfecto. Las varillas espaciadoras adiamantadas que éste tiene proporcionan un brillo extraodinario. En este caso la pulsera a juego se ha dejado sin adornos.

NECESITARÁS

•

Cuentas y fornituras

- 101 perlas de 8 mm
- 4 cuentas plateadas de 3 mm
- Un cierre adiamantado de 2 tiras
- 2 varillas separadoras adiamantadas de 2 tiras
- 2 agujas de enfilado
- Hilo de enfilar

Otro equipo

- Tijeras

PREPARAR EL COLLAR

1 Toma dos fragmentos de hilo, de unos 70 cm cada uno, uno con cada aguja. La longitud final del collar es de unos 42 cm, sin incluir el cierre.

2 Usa un pedazo de hilo para poner una perla y una cuenta plateada, dejando un cabo de 7,5 cm. Da dos pespuntes alrededor de un bucle en el cierre y lleva el hilo hacia abajo a través de las cuentas plateada y perlada.

3 Repite el paso 2, pero usando el otro pedazo de hilo y cosiendo alrededor del otro cierre en el bucle.

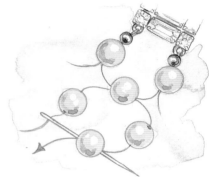

4 Trabajando desde la parte superior a la inferior, empieza a tejer usando el hilo de la izquierda para pasar una perla. Lleva el hilo hacia la derecha a través de esta cuenta. Estíralo bien.

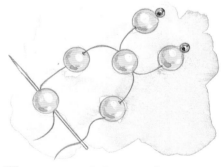

5 Usa el hilo de la izquierda para introducir dos perlas. Usa el hilo de la derecha para meter una perla y lleva el hilo a través de la cuenta que está también en el hilo de la izquierda. Estíralo bien.

6 Repite el paso 5 dos veces más. (Tendrás en total 12 perlas.)

Elabora la pulsera a juego exactamente de la misma forma, usando perlas más pequeñas y omitiendo las varillas separadoras.

7 Usa el hilo de la izquierda para pasar una perla, y después lleva el hilo a través del orificio en el separador adiamantado. Repite la operación con el hilo de la derecha.

8 Usa el hilo de la izquierda para pasar dos perlas. Usa el hilo de la derecha para introducir una perla y llévalo a través de una de las perlas del hilo izquierdo (ver paso 4).

9 Repite 22 veces el paso 8 (para un total de 71 perlas después de la varilla separadora). Añade la otra varilla separadora de diamantado según se muestra en el paso 7.

10 Repitecuatro veces el paso 8. Usa el hilo de la izquierda para introducir una perla y una cuenta plateada. Da dos pespuntes alrededor de un bucle en el cierre y tira fuerte. Repite la operación con el hilo de la derecha.

11 Lleva el hilo de la derecha a través de la perla central de forma que los dos hilos se encuentren. Átalos y haz un cierre seguro. Repite la operación con los hilos del otro extremo.

BROCHES DE ZAPATOS

Amplía tu fondo de armario con estas sencillas decoraciones en unos zapatos sin adornos. Las bolas facetadas les dotan de un valor adicional de brillo y sofisticación.

PREPARAR LOS BROCHES

1 Consigue 14 canutillos de la misma longitud (suelen variar de dimensiones) y ponlos juntos en la superficie de trabajo.

2 Coge un trozo largo de hilo de enfilar e introduce dos canutillos, dejando un cabo de unos 7,5 cm.

3 Lleva el hilo hacia el primer canutillo, formando un círculo, y después estíralo de forma que los canutillos se asienten firmemente a los lados. Lleva el hilo de nuevo al segundo canutillo.

4 Pasa otro canutillo, lleva el hilo de nuevo al segundo canutillo, estíralo y lleva el hilo al tercer canutillo. Repite la operación hasta haber ensartado los 14 canutillos de esta forma.

NECESITARÁS

•

Cuentas y fornituras
- 5 g de canutillos plateados de 9 mm
- 5 g de cuentas de rocalla negra, tamaño 12/0
- 5 g de cuentas de rocalla plateada, tamaño 12/0
- 5 bolas facetadas negras de 6 mm
- 6 bolas facetadas negras de 4 mm
- Hilo de enfilar encerado
- Aguja de enfilado

Otro equipo
- Tijeras
- Un par de broches de zapatos
- Adhesivo de contacto

5 Pasa una rocalla negra. Lleva la aguja por debajo del hilo entre los dos canutillos y de nuevo a través de la rocalla. Continúa hasta haber introducido 13 rocallas negras.

6 Llevando todavía la aguja bajo el hilo entre las cuentas de la fila anterior, pasa una rocalla negra, cuatro rocallas plateadas, dos rocallas negras, cuatro rocallas plateadas y una rocalla negra, para un total de 12 rocallas.

7 Sigue el diagrama para añadir rocallas negras y plateadas, de manera que haya una cuenta menos en cada fila, hasta tener una rocalla negra. No cortes el hilo.

PREPARAR LAS CADENETAS

1 Introduce seis rocallas negras, un canutillo, dos rocallas negras, una rocalla plateada, una bola facetada negra de 6 mm, una rocalla plateada y tres rocallas negras. Sáltate las tres últimas rocallas y lleva el hilo a través de todas las cuentas y de la última cuenta del triángulo.

2 Lleva el hilo a través de dos rocallas y pásalo a través de la rocalla lateral en la tercera de la última fila del triángulo.

3 Prepara una cadeneta de la misma manera que en el paso 1, pero usa una bola facetada negra de 4 mm y sólo una rocalla negra en la parte inferior, en lugar de tres.

4 Sigue de esta forma, añadiendo tiras alternas con las cuentas laterales y alternando las cadenetas preparadas con bolas facetadas de 6 mm (y tres rocallas) y bolas facetadas de 4 mm (y una rocalla).

5 Cuando hayas añadido las cadenetas a ambos lados del triángulo, anuda el hilo con fuerza y hazlo pasar a través de varias cuentas antes de cortar los extremos.

6 Pega el broche de zapatos en la parte posterior del triángulo.

Se preparó otro conjunto de broches con canutillos y rocallas negros, bolas facetadas negras de 4 mm y rocallas verdes y cuentas de discos de cristal verde.

CORREA DE RELOJ DE CANUTILLOS COSIDOS

La técnica de canutillos cosidos es un sencillo recurso que se ha usado aquí para preparar la correa de un reloj en tonos dorados y verdes. Pero no hay límites: ¡prepárate una correa de distinto color para cada día de la semana!

PREPARAR LA CORREA

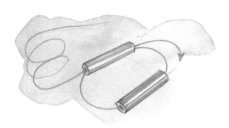

1 Introduce un canutillo dorado en una pieza larga de hilo y deja un cabo de unos 15 cm. Introduce un canutillo verde. Lleva el hilo a través del canutillo dorado, formando un círculo, y después estíralo de forma que los canutillos se asienten firmemente en paralelo. Lleva el hilo hacia el primer canutillo.

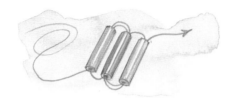

2 Introduce otro canutillo dorado, lleva el hilo al canutillo verde, estíralo y llévalo a través del canutillo dorado.

3 Repite, alternando canutillos verdes y dorados, hasta que hayas ensartado 11 canutillos de este modo, empezando y terminando la serie con un canutillo dorado.

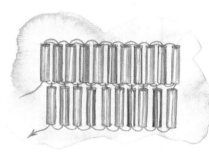

5 Sigue trabajando de este modo en la fila, alternando canutillos dorados y verdes hasta que tengas tres dorados y dos verdes. Continúa hasta el final, pero introduce después un canutillo hasta tener 10 en la fila. Como ambas filas empiezan y terminan con un canutillo dorado, las filas con números pares de cuentas tendrán dos canutillos dorados y dos verdes en el centro.

4 Para la siguiente fila, introduce un canutillo dorado y pasa la aguja bajo el hilo entre los últimos canutillos dorado y verde de la fila anterior. Lleva el hilo a través del canutillo dorado.

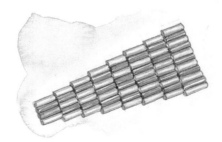

6 Sigue preparando filas de canutillos, reduciendo el número en una cuenta en cada fila, hasta tener una fila de cuatro canutillos (para un total de 8 filas). No cortes el hilo.

7 Saca el hilo de uno de los canutillos verdes centrales, introduce tres rocallas, una cuenta dorada de 8 mm, tres rocallas, una cuenta dorada de 8 mm y una rocalla. Sáltate la última rocalla y lleva el hilo a través de la cuenta dorada, las tres rocallas y la otra cuenta dorada, y después a través de dos rocallas. Introduce una rocalla y lleva el hilo a través del otro canutillo verde en el medio. Remata asegurando el cierre.

8 Usando el cabo que se dejó al empezar, añade una fila de diez canutillos como en los pasos 4 y 5. Pasa cinco rocallas, llévalas alrededor de la varilla en la esfera del reloj y lleva el hilo a través del último canutillo.

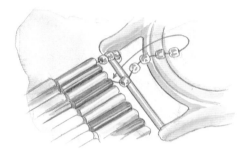

Esta correa de reloj está pensada para una muñeca que mida 15 cm.

9 Sáltate dos canutillos, introduce cinco rocallas y lleva éstas alrededor de la varilla, y después el hilo a través del último canutillo, como en el paso 8. Repite otras dos veces de manera que se formen bucles de rocalla desde los dos canutillos del extremo y desde los canutillos cuarto y séptimo de la fila. Remata el hilo de forma segura.

10 Trabaja el otro lado de la correa para igualarlo del mismo modo que en el paso 6. Saca el hilo de trabajo a través de uno de los canutillos verdes centrales e introduce 21 rocallas. Forma un bucle llevando el hilo a través de la segunda rocalla y lleva el hilo a través del otro canutillo verde central. Remata el hilo de forma segura.

11 Completa la correa uniéndola a la esfera del reloj según se describe en los pasos 8 y 9.

*Pueden usarse
también cuentas de
rocalla más grandes.
Esto facilita el
trabajo, aunque el
resultado es menos
delicado.*

NECESITARÁS

•

Cuentas y forniformas

- 40 g de cuentas de rocalla blanca, tamaño 12/0
- 10 g de cuentas de rocalla rosa, tamaño 8/0
- 2 g de cuentas de rocalla aqua, tamaño 8/0
- 13 cuentas de lágrimas rosas
- Hilo de enfilar
- Aguja de enfilado

Otro equipo

- Red o muselina de algodón
- Hilo de coser

PREPARAR EL PAÑO

1 Si se está usando una capa doble de red o muselina, cose dos círculos juntos de forma que el diámetro final sea aproximadamente de 11,5 cm. Prepara una fila de pequeñas costuras longitudinales alrededor del borde.

2 Toma un trozo largo de hilo de enfilar y prepara un pequeño nudo en un extremo. Cose de nuevo el hilo en el borde del lado tosco de la tela.

PAÑO PARA JARRA DE LECHE

Estos hermosos paños se usan tradicionalmente cuando se sirve la leche para el café en un lugar al aire libre. También permiten agasajar con elegancia a un invitado poniendo una jarra con leche en su cuarto.

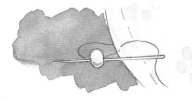

3 Introduce una cuenta blanca, lleva el hilo a través de la tela y de la cuenta.

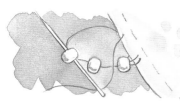

4 Introduce dos cuentas blancas, pasa por la tela y retrocede hacia la segunda cuenta.

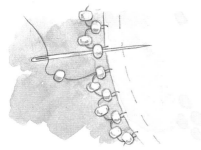

5 Repite el paso 4 en todo el círculo de la tela. Cuando llegues a la primera cuenta, introduce una cuenta y lleva el hilo hacia la primera cuenta.

6 Lleva el hilo a través de una de las cuentas de la fila exterior y pasa cinco cuentas blancas, una rosa, cinco blancas, una rosa, cinco blancas, una rosa, cinco blancas, una rosa, cinco blancas, una rosa, tres blancas, una aqua, una lágrima, una aqua y tres blancas. Sáltate las tres últimas cuentas blancas y lleva el hilo a través de la lágrima y las últimas cinco cuentas, saliendo después de la última cuenta rosa.

7 Pasa cinco cuentas blancas, una rosa y cinco blancas y lleva el hilo a través de una cuenta rosa de la fila anterior (la tercera desde la tela).

8 Repite el paso 7, llevando el hilo a través de la cuenta rosa más cercana a la tela.

9 Pon cinco cuentas blancas, sáltate dos de las cuentas blancas del borde de la tela y lleva el hilo a través de la siguiente cuenta blanca.

10 Pasa cinco cuentas blancas, una rosa y cinco blancas y lleva el hilo a través de la segunda cuenta rosa de la fila anterior.

11 Repite el paso 10.

12 Pon cinco cuentas blancas, una aqua, cinco blancas, una rosa y cinco blancas y lleva el hilo a través de la siguiente cuenta rosa libre de la fila anterior.

13 Continúa trabajando alrededor. Debe haber tres círculos con un bucle aqua entre cada lágrima grande.

14 Cuando llegues al principio, remata el trabajo de forma segura llevando el hilo a través de las cuentas de la primera fila.

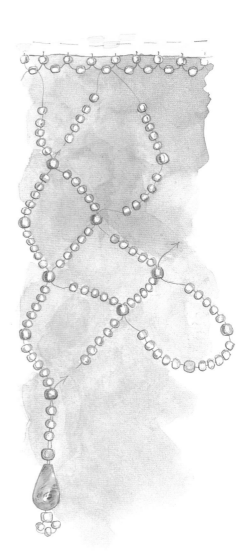

COLLAR CON FLECOS

Los collares hechos de esta manera son muy adecuados para cuentas labradas de colores naturales, como las de color turquesa y naranja utilizadas aquí. El collar terminado mide unos 38 cm.

NECESITARÁS

•

Cuentas y fornituras

- Un cierre de cilindro
- 5 g de cuentas de rocalla turquesa, tamaño 8/0
- 33 discos turquesas
- 22 cilindros de color albaricoque, de aproximadamente 10 x 17 mm
- 33 cuentas de cristal esmerilado africano
- 11 cuentas naranjas, de 15 mm de longitud
- 11 cuentas de rocalla naranja, tamaño 6/0
- Hilo de enfilar encerado
- Aguja de enfilado

Otro equipo

- Tijeras

PREPARAR EL COLLAR

1 Corta un hilo de 150 cm de largo. Cose un extremo del hilo al cierre, dejando un cabo de unos 7,5 cm.

2 Ensarta 157 rocallas turquesas de 8/0. Haz un bucle y un el hilo a través del otro extremo del cierre para asegurarlo.

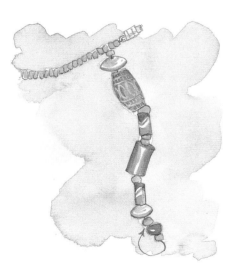

3 Vuelve con el hilo a las dos rocallas, introduce una rocalla de 8/0, un disco, un cilindro de color albaricoque, una rocalla turquesa de 6/0, una cuenta de cristal esmerilado, dos rocallas turquesas de 8/0, una cuenta de cristal esmerilado, un disco, una rocalla turquesa de 8/0, una rocalla naranja de 6/0 y una rocalla turquesa de 8/0.

4 Sáltate las últimas tres rocallas y lleva el hilo hacia arriba a través del disco, la cuenta de cristal esmerilado, la rocalla turquesa de 8/0, la cuenta naranja y la primera de las dos rocallas turquesas de 8/0.

5 Introduce una rocalla turquesa de 8/0, una cuenta de cristal esmerilado, una rocalla turquesa de 6/0, un cilindro de color albaricoque, un disco y una rocalla turquesa de 8/0.

6 Sáltate 13 cuentas de la tira principal y lleva el hilo a través de la cuenta siguiente.

7 Repite los pasos 3 a 5 para diez piedras más. Remata el trabajo de forma segura.

PENDIENTES DE ROSETA

Ésta es una técnica versátil que requiere algo de paciencia para dominarla, pero los resultados son verdaderas joyas con un acabado profesional.

NECESITARÁS

•

Cuentas y fornituras

- 2 cuentas de 8 mm
- 10 g de cuentas de rocalla, tamaño 12/0
- 34 cuentas de 4 mm
- 6 cuentas, aproximadamente 10 x 17 mm
- 10 cuentas de 6 mm
- 2 anillos partidos
- Un par de enganches de pendientes
- Hilo de enfilar encerado
- Aguja de enfilado

Otro equipo

- Tijeras
- Alicates de boca redonda

PREPARAR LAS ROSETAS

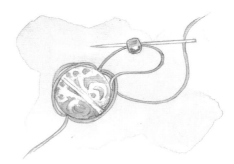

1 Corta 1 m de hilo de enfilar y llévalo a través de una cuenta de 8 mm, dejando un cabo de 7,5 cm. Lleva el hilo alrededor de la cuenta, dos veces en torno a un lado y dos por el otro lado. Estos hilos son la base de la primera fila.

2 Introduce una rocalla en el hilo. Lleva el hilo por debajo de los hilos que rodean a la cuenta y después hazlo retroceder a través de la rocalla.

3 Repite todo lo anterior alrededor de la cuenta de 8 mm hasta que la última cuenta se sitúe frente a la primera. Comprueba que todas las rocallas se asientan de forma uniforme y que quedan espacios entre ellas.

4 Para terminar la fila, lleva el hilo hacia abajo a través de la primera cuenta y a continuación retrocede hasta la última cuenta. Todas las filas se rematarán de esta manera.

5 Forma la siguiente fila del mismo modo, pero usando cuentas de 4 mm. Necesitarás unas 14 cuentas, pero no uses demasiadas, pues la roseta podría no quedarte plana. Remata como en el paso 4.

6 Trabaja con la siguiente fila de rocallas. Introduce una rocalla, pasa por debajo del hilo y retrocede hacia la cuenta. Introduce dos rocallas, pasa por debajo del hilo y retrocede, pero a través sólo de una de las dos cuentas.

7 Cuando vayas hasta la última cuenta, toma sólo una cuenta y lleva el hilo hacia atrás y hacia abajo a través de la primera cuenta añadida.

8 Termina corriendo el hilo hacia atrás a través de las cuentas hasta el cabo. Ata el cabo y el extremo del trabajo y llévalos a través de las tres cuentas antes de cortar.

PREPARAR LOS COLGANTES

1 Sostén la roseta de forma que el orificio de la cuenta central esté en vertical. En la fila exterior, una de las cuentas salientes debe aparecer inmediatamente por encima del orificio vertical; se formará así el punto central para los colgantes.

2 Toma otro trozo de hilo a través de dos cuentas cerca del borde exterior, y después a través de la cuenta a la izquierda de la central. Deja un cabo de 7,5 cm. Cuando empieces a formar la primera tira, la aguja estará apuntando hacia la cuenta central.

3 Pasa una rocalla, una cuenta de 4 mm, una rocalla, una cuenta de 10 x 17 mm, una rocalla, una cuenta de 6 mm y tres rocallas. Sáltate las últimas tres rocallas y lleva el hilo hacia atrás y hacia arriba a través de todas las cuentas en la tira.

4 Retrocede a la cuenta saliente, trabajando en la dirección de la cuenta central. Pasa una rocalla, después lleva el hilo a través de la cuenta central saliente. Introduce dos rocallas, una cuenta de 4 mm, una rocalla, una cuenta de 6 mm, dos rocallas, una cuenta de 10 x 17 mm, dos rocallas, una cuenta de 6 mm y tres rocallas.

5 Termina la cadeneta central al igual que la primera, y después haz la tercera tira igualada a la primera. Remata el trabajo atando el hilo al cabo, y después haz pasar el hilo por las tres cuentas antes de cortarlo.

REMATE

1 Abre uno de los anillos partidos a los lados con alicates de boca redonda. Haz pasar el hilo a través de la cuenta central superior y de uno de los enganches de pendientes, y después ciérralo con fuerza.

COLLAR DE ROSETA

*Aquí se usan cuentas para el sencillo cierre de este collar.
Comprueba que el bucle tiene la amplitud suficiente para
que quepan las cuentas antes de rematar el hilo.*

NECESITARÁS

•

Cuentas y fornituras

- 8 cuentas de 12 mm
- 10 g de cuentas de rocalla, tamaño 8/0
- 10 g de cuentas de rocalla de doble talla
- 10 g de cuentas de rocalla, tamaño 12/0
- 11 cuentas de 10 mm
- 2 cuentas ovales de unos 11 x 18 mm
- 3 lágrimas de unos 11 x 19 cm
- Hilo de enfilar encerado
- Aguja de enfilado

Otro equipo

- Tijeras

PREPARAR LAS ROSETAS

1 Enhebra 1 m de hilo en una aguja de enfilado, y después pasa una cuenta de 12 mm, dejando un cabo de 7,5 cm. Lleva el hilo alrededor de la cuenta, dos veces por un lado y dos veces por el otro. Estos hilos forman la base sobre la que se trabajará con la primera fila de cuentas.

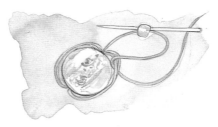

2 Pasa una rocalla de 8/0 por el hilo. Lleva el hilo por debajo de los que rodean la cuenta y después hacia atrás a través de la rocalla.

3 Repite la operación alrededor de la cuenta central hasta que la última cuenta se sitúe frente a la primera. Comprueba que todas las rocallas están bien firmes y uniformes, y que han quedado espacios entre ellas.

4 Lleva el hilo hacia abajo a través de la primera rocalla y después hacia atrás hasta la última cuenta. Todas las filas se rematarán de esta forma.

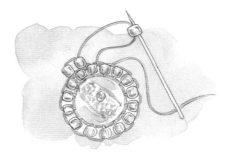

5 Prepara una segunda fila de rocallas del mismo modo. Esta fila será mayor que la primera y será preciso usar más cuentas. Sin embargo, ten cuidado de no usar demasiadas, pues podrían no asentarse bien.

6 Une la tercera fila, esta vez usando rocallas de doble talla.

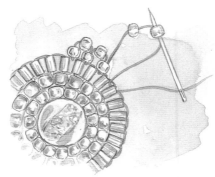

7 Para unir la última fila, pon una rocalla de 12/0, pasa por debajo del hilo y después regresa a la cuenta. Pasa dos rocallas de 12/0, ve por debajo del hilo y regresa a la segunda cuenta solamente. Sigue trabajando de esta forma alrededor del círculo. Cuando llegues de nuevo a la primera cuenta, pasa sólo una cuenta y lleva el hilo hacia abajo a través de la primera cuenta.

8 Remata corriendo el hilo hacia abajo a través de las cuentas y de nuevo hasta el cabo. Ata el cabo y el extremo del hilo y llévalos a través de las tres cuentas antes de cortar. Corta el hilo.

9 Haz ocho rosetas más. Necesitarás tres más preparadas con una cuenta central de 12 mm y cinco con una cuenta central de 10 mm.

Cada pendiente se compone de una roseta con una cuenta central de 12 mm. Las tres filas de alrededor conforman una única fila de rocallas de 8/0, rocallas de doble talla y una fila exterior de rocallas de 12/0. Se añade una lágrima para dar un toque final.

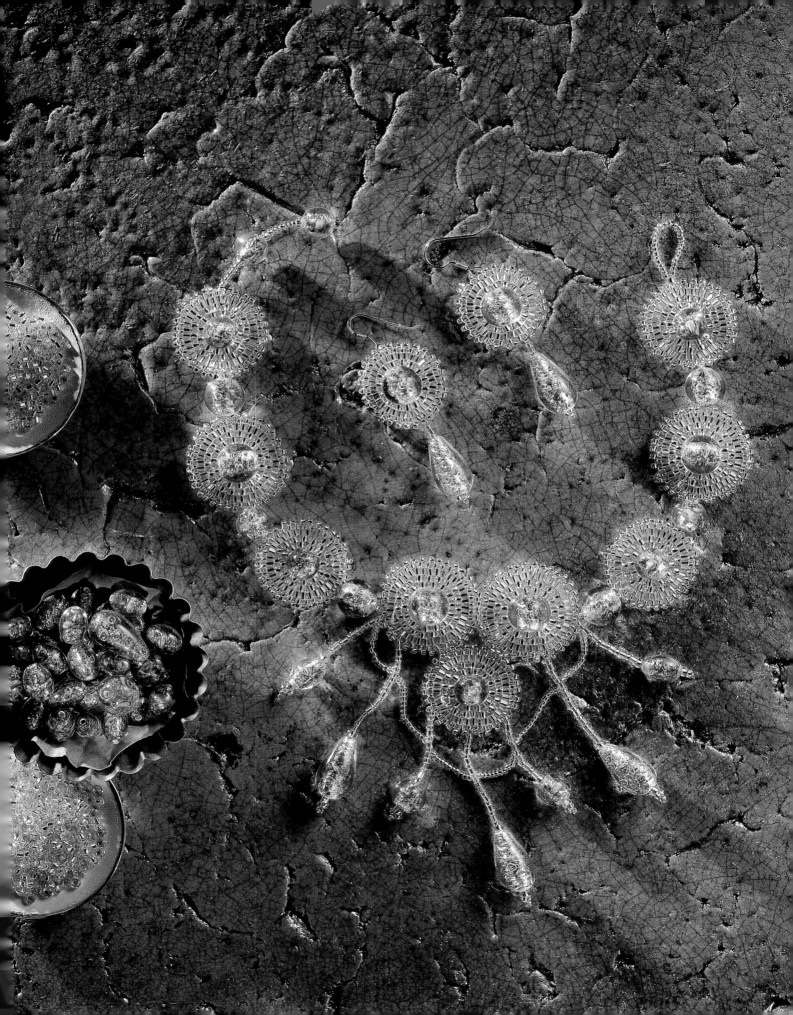

PREPARAR
EL COLLAR

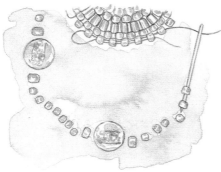

1 Coge un nuevo pedazo de hilo y llévalo a través de una de las cuentas externas en una roseta de 10 mm. Recuerda que la cuenta central debe estar en vertical. Deja un cabo y corre el hilo a través de unas cuantas cuentas. Sáltate la última cuenta y vuelve con el hilo a través de las cuentas. Enhebra aproximadamente ocho rocallas, después una cuenta de 10 mm, aproximadamente ocho rocallas, una cuenta más de 10 mm, una rocalla de 8/0 y una rocalla de 12/0. Omite la última cuenta y vuelve con el hilo pasándolo a través, haciendo un remate seguro con el cabo.

2 Lleva el hilo a través de las cuentas en el lado opuesto de la roseta y átalo de forma segura. Pasa una cuenta de 12 mm, después lleva el hilo a través de las cuentas exteriores en una roseta de 12 mm, con la cuenta central dispuesta en vertical, rematando el hilo de forma segura, como antes. Sigue uniendo rosetas, pasando una cuenta de 10 mm, una roseta de 10 mm (dispuesta en vertical) y otra cuenta de 12 mm.

3 Prepara un bucle de cierre en el otro extremo del collar. Lleva el hilo al borde de una roseta de 10 mm, añade una rocalla de 8/0 y después prepara el bucle de rocallas 12/0. Vuelve con el hilo a través de la rocalla de 8/0 y a través de las cuentas del borde para rematarlo con el cabo. Repite el paso 2.

4 La pieza central triangular se forma colocando dos rosetas de 12 mm con una roseta de 10 mm en posición central debajo. Antes de coser, comprueba que todas las cuentas centrales están en vertical. Allí se unen mediante los bordes exteriores de manera que las cuentas se enlacen entre sí. Une las dos rosetas de 12 mm llevando el hilo a través de nueve cuentas, cinco de una roseta y cuatro de la otra.

5 Une la roseta inferior tomando unas cinco cuentas de cada una de las rosetas grandes.

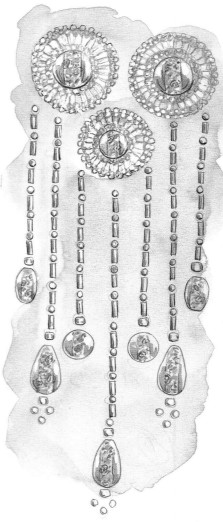

6 Completa y une las siete lágrimas según se muestra.

7 Para unir las lágrimas, empieza en la parte superior de la primera lágrima y pasa 15 rocallas de 12/0. Lleva este hilo a través de la tercera rocalla de doble talla en la siguiente lágrima. Pasa 17 rocallas de 12/0 y atraviesa la tercera rocalla de doble talla en la lágrima siguiente.

8 Pasa 11 rocallas de 12/0 a través de la cuarta rocalla de doble talla en la lágrima central. Pon 11 rocallas y atraviesa la tercera rocalla de doble talla de la siguiente lágrima.

9 Repite el paso 7 en orden inverso, y después remata. Une la sección central a las laterales.

COLGANTE DE ROSETA

Para este colgante hemos elegido matices sutiles de color gris y bronce. El resultado es muy elegante y sofisticado aunque, sería también idóneo un tono blanco perlado.

NECESITARÁS
•

Cuentas y fornituras

- 2 cuentas jaspeadas moteadas de 8 mm
- 10 g de cuentas de rocalla gris plomo, tamaño 8/0
- 17 cuentas jaspeadas moteadas de 6 mm
- 10 g de cuentas de rocalla de color bronce, tamaño 12/0
- 10 g de cuentas de rocalla perlada, tamaño 12/0
- 10 g de canutillos de color bronce de 6 mm
- 2 cuentas de malaquita de 4 mm
- Una cuenta de malaquita de 8 mm
- Hilo de enfilar negro
- Aguja de enfilado

Otro equipo

- Tijeras

PREPARAR LAS ROSETAS

1 Prepara la roseta central, siguiendo las instrucciones de la técnica de rosetas que se explica en el proyecto de las páginas 72-73. La cuenta central debe ser una cuenta jaspeada moteada de 8 mm. A continuación, forma una fila de rocallas gris plomo de 8/0 y una fila de cuentas jaspeadas moteadas de 6 mm (debes usar nueve). Las restantes filas se hacen del modo siguiente: rocallas de color bronce de 12/0, rocallas perladas de 12/0, después rocallas gris plomo 8/0. Completa la roseta con rocallas de color bronce 12/0. Remata el hilo de forma segura.

2 Prepara siete tiras con las mismas rocallas y cuentas jaspeadas usadas en la roseta, más las cuentas grandes de malaquita. Coloca la roseta de manera que la cuenta central esté en vertical, y después enlaza una larga cadeneta central directamente por debajo. Une tres tiras en un lado. Remata el hilo de forma segura. Da la vuelta al colgante, enlaza un nuevo pedazo de hilo y une las tres cadenetas restantes.

3 Prepara dos rosetas pequeñas con una cuenta jaspeada moteada de 6 mm en el centro. La primera fila debe ser de rocallas gris plomo de 8/0, seguidas de rocallas de color bronce de 12/0. Remata todos los extremos de forma segura.

PREPARAR EL COLGANTE

1 Une dos nuevos tramos de hilo a cada lado de la roseta central, según se muestra. Enhebra aproximadamente 16 rocallas de bronce de 12/0 y una rocalla perlada de 12/0 a cada lado.

2 Enlaza un nuevo trozo de hilo en el lado opuesto de una pequeña roseta, llevándolo hacia atrás a través de las cuentas en el círculo externo para sujetarlo con seguridad. Enhebra una rocalla perlada de 12/0 y añade rocallas de color bronce hasta que mida unos 80 cm. Pasa una rocalla perlada de 12/0, después lleva el hilo a través de un par de cuentas en el borde exterior de la otra roseta pequeña. Remata de forma segura.

BROCHE DE CABUJÓN

*Si usas una concha como centro de este broche, intenta que combine bien
con las cuentas de rocalla en los colores cambiantes y brillantes de la concha.*

NECESITARÁS

•

Cuentas y fornituras

- Un cabujón de concha, de unos 40 x 30 cm
- 10 g de cuentas de rocalla, tamaño 12/0
- Un soporte de broche
- Hilo de enfilar encerado
- Aguja de enfilado

Otro equipo

- Una pieza de cuero fino, de unos 60 x 50 mm
- Pegamento multiusos transparente
- Tijeras

PREPARAR EL REBORDE

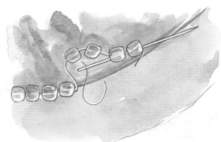

1 Pasa cuatro rocallas. Lleva la aguja a través del cuero de forma que las cuatro perlas se sitúen en el borde mismo del cabujón. Vuelve hacia atrás con la aguja a través del lado correcto, a medio camino entre las cuentas. Vuelve con el hilo a través de dos de las rocallas en la dirección del trabajo.

2 Pasa cuatro cuentas más y repite el paso anterior hasta que hayas completado el contorno del cabujón.

PREPARAR EL CABUJÓN

1 Pega el cabujón en el cuero y déjalo secar.

2 Haz un nudo en el extremo de una sección del hilo y llévalo a través del cuero por la parte posterior, comprobando que pasa a través del lado correcto del cuero en el extremo del cabujón.

3 Cuando llegues al extremo, toma el hilo desde la última cuenta a través de la primera, pasando por el cuero.

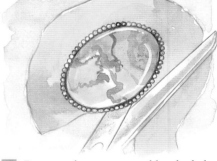

4 Recorta el cuero junto al borde de la primera fila, con cuidado de no cortar el hilo, ya que tendrás que seguir trabajando con él. Usarás el borde del cuero como base de la siguiente fila de cuentas.

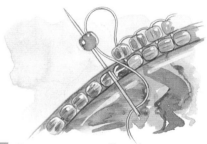

5 Pasa una cuenta, lleva la aguja a través del cuero y regresa pasando por la cuenta. Repite esta operación en todo el borde del cuero.

Pueden usarse perlas alargadas y varias cuentas doradas para dar mayor interés a un broche totalmente blanco.

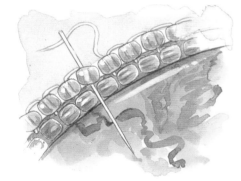

6 Cuanto vuelvas a la primera cuenta, lleva el hilo hacia esta cuenta y retrocede hasta la última. Deberías actuar así al final de cada fila, continuando con el hilo.

7 Empieza la fila siguiente usando el hilo entre las cuentas de la fila anterior. Pasa una cuenta, prosigue por debajo del hilo y retrocede hacia la cuenta. Repite la operación en todo el conjunto, comprobando que las cuentas quedan bien sujetas y que no quedan espacios entre ellas.

8 Repite el paso 7 hasta haber completado otras tres filas más.

9 Forma la última fila pasando una nueva cuenta. Sigue por debajo del hilo, retrocede a través de la cuenta y después pasa dos cuentas más. Ve por debajo del hilo y retrocede hasta la segunda cuenta. Repite la operación, usando dos cuentas, en todo el conjunto.

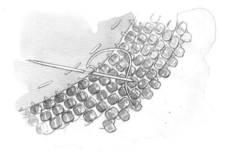

10 Cuando hayas llegado a la última cuenta, pasa una cuenta y sigue por debajo de la cuenta primera. Pasa el hilo por el cuero.

11 Coloca el soporte del broche.

PULSERA DE PUNTADA PEYOTE

Para esta bonita pulsera se han usado rocallas doradas que le confieren un toque sofisticado; las rocallas de color azul oscuro despiden un atractivo brillo metálico.

NECESITARÁS

•

Cuentas y fornituras

- 20 g de rocallas azul oscuro metálico, tamaño 12/0
- 5 g de rocallas doradas metálicas, tamaño 12/0
- 2 g de rocallas rojas transparentes, tamaño 12/0
- 2 cuentas rojas de 8 mm
- Hilo de enfilar encerado
- Aguja de enfilado

Otro equipo

- Tijeras

PREPARAR LA PULSERA

1 Enhebra 12 cuentas azules en un segmento largo de hilo, dejando un cabo de unos 7,5 cm.

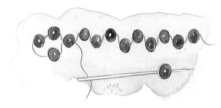

2 Pasa una cuenta azul, sáltate la primera cuenta y lleva el hilo a través de la segunda cuenta. Pasa otra cuenta azul, omite una cuenta y lleva el hilo a través de la cuenta siguiente. Sigue así hasta haber añadido seis cuentas más.

3 Ata el cabo y el hilo de trabajo, pero no cortes el hilo.

4 Pasa una cuenta azul, lleva el hilo a través de la siguiente cuenta azul saliente de la fila anterior e introduce otra cuenta azul. Prosigue de este modo hasta el final de la fila.

5 Prepara 4-5 filas de rocallas azules, y después empieza con el dibujo de la flor. Usa cuentas doradas para los pétalos y rojas para los centros. Hemos hecho 14 flores.

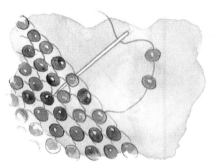

6 Para preparar una flor en el borde, empieza por el principio de una fila nueva y pasa una cuenta dorada, y después completa la fila con cuentas azules como antes. Trabaja con la fila siguiente con cuentas azules, pero introduciendo una cuenta dorada antes de hacer pasar el hilo a través de la cuenta dorada de la fila anterior. Pasa una cuenta roja en la fila siguiente y remata con cuentas azules. Empieza la siguiente fila con cuentas azules, pero introduce una cuenta dorada antes de pasar el hilo a través de la cuenta roja. Pasa otra cuenta dorada, y después remata la fila con cuentas azules.

7 Empieza la fila siguiente con cuentas azules, pasa el hilo a través de la última cuenta dorada e introduce dos cuentas doradas. Lleva el hilo por las dos primeras cuentas doradas, y después retrocede a las dos últimas cuentas doradas.

8 Empieza midiendo el hilo para que el trabajo te ocupe unos 15 cm. Cuando hayas alcanzado la longitud deseada para la muñeca, pasa el hilo por la cuenta central para hacer el cierre. Introduce dos cuentas azules, una cuenta de 8 mm, cuatro cuentas azules, una cuenta de 8 mm y una cuenta azul. Omite la última cuenta y vuelve con el hilo a través de las otras cuentas antes de rematar de forma segura.

9 Enhebra el cabo sobrante en el otro extremo en la aguja y llévalo hacia el centro. Pasa un número suficiente de cuentas azules para hacer un bucle que llegue a la cuenta roja de 8 mm del otro extremo. Lleva este extremo a través de varias cuentas para rematar el trabajo.

En la ilustración, pulsera con rocallas de color bronce con un reborde contrastado de verde. Las flores rojas del borde están hechas del mismo modo que las de la pulsera azul. Se han usado bolas facetadas rojas como remate.

AROS DE SERVILLETA PARA FIESTAS

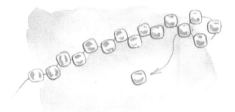

Hemos usado rocallas plateadas, rojas y verdes para estos aros de servilleta, adecuados para las fiestas navideñas. Aunque parecen delicados, estos aros son asombrosamente resistentes.

NECESITARÁS

•

Cuentas y fornituras

- 15 g de rocallas plateadas, tamaño 8/0
- 10 g de rocallas verdes, tamaño 8/0
- 10 g de rocallas rojas, tamaño 8/0
- Una cuenta roja de 10 mm
- Hilo de enfilar encerado
- Aguja de enfilado

Otro equipo

- Tijeras

Se han entretejido los mismos colores (plateado, rojo y verde) para crear un efecto completamente diferente. ¿Por qué no preparar uno a juego con la base de una vela?

PREPARAR UN ARO PLANO

1 Dejando un cabo de unos 7,5 cm, pasa 14 cuentas plateadas en un segmento largo de hilo.

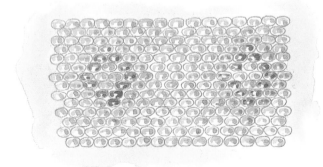

2 Para empezar el entretejido, pasa una cuenta plateada, sáltate una cuenta y lleva el hilo a través de la cuenta siguiente. Pasa una cuenta plateada, sáltate la cuenta siguiente y lleva el hilo por la otra cuenta. Continúa trabajando de este modo hasta terminar la fila.

3 Ata el hilo de trabajo y el cabo, pero no cortes el hilo.

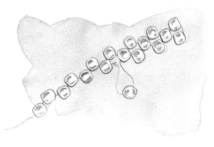

4 Pasa una cuenta plateada y lleva el hilo a través de la siguiente cuenta saliente de la fila anterior. Repite para rematar la fila.

5 Después de varias filas de cuentas plateadas, empieza con el dibujo. (Ver ilustración en página 82.)

6 Sigue trabajando conforme al dibujo del paso 5 en sentido inverso hasta terminar el rombo. Deja varias filas de cuentas plateadas entre los rombos.

2 Pasa una cuenta roja, lleva el hilo a través de la primera cuenta roja. Pon una cuenta verde y lleva el hilo a través de la primera cuenta verde. Coloca una cuenta plateada y lleva el hilo a través de la primera cuenta plateada.

3 Vuelve con el hilo a través de la segunda cuenta roja (la primera cuenta roja de la segunda fila), de manera que la aguja esté en la posición correcta.

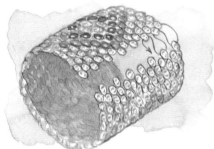

7 Cuando hayas completado los tres rombos, entreteje el hilo a través de las cuentas salientes de las filas primera y última para un buen remate.

PREPARAR
UN ARO REDONDO

4 Sigue añadiendo cuentas, metiendo el hilo entre las del mismo color (pasa una cuenta roja y lleva la aguja a través de una cuenta roja, pasa una cuenta verde y lleva la aguja a través de una cuenta verde).

5 Continúa preparando el dibujo hasta que el canutillo tenga una longitud de unos 10 cm.

6 Remata haciendo pasar el hilo a través de las tres últimas cuentas en el extremo para cerrar el canutillo.

7 Enhebra la cuenta de 10 mm y ata el hilo de trabajo al cabo. Enhebra los extremos a través de la cuenta grande y de varias rocallas antes de cortar el hilo con limpieza.

1 Toma una sección larga de hilo de enfilar y pasa una cuenta roja, una cuenta verde y una cuenta plateada. Dejando un cabo de unos 7,5 cm, ata el hilo para formar un círculo y retrocede a través de una de las cuentas para esconder el hilo.

Este aro de servilleta se hizo exactamente de la misma manera, pero con un fondo de rocallas verdes. Este dibujo tiene un efecto parecido con un fondo en rojo.

PULSERA TEJIDA

Aunque parece complicado, el tejido de abalorios es una técnica bastante sencilla. Se pueden disponer las cuentas en casi cualquier dibujo, como demuestra este simple diseño geométrico, de especial atractivo.

NECESITARÁS

•

Cuentas y fornituras

- 10 g de rocallas opacas azules, tamaño 8/0
- 10 g de rocallas opacas rojas, tamaño 8/0
- 10 g de rocallas opacas naranjas, tamaño 8/0
- 10 g de rocallas opacas amarillas, tamaño 8/0
- 10 g de rocallas opacas negras, tamaño 8/0
- Hilo de enfilar encerado
- Aguja de enfilado

Otro equipo

- Telar de abalorios pequeño
- 5 m de hilo de seda
- Cera de abeja

PREPARAR LA PULSERA

1 Prepara una urdimbre de nueve filas de hilo de seda en el telar de abalorios, siguiendo las instrucciones del fabricante. Comprueba que todos los hilos están lo más tensos posible y que están dispuestos de forma limpia en torno a los separadores. Arrolla los cabos sueltos en torno a una de las piezas de extremo.

2 Estima cuánto hilo de enfilar vas a necesitar multiplicando la anchura de los hilos de la urdimbre por el número de filas del dibujo. Añade unos 30 cm de más. Impregna de cera de abeja el hilo de enfilar para que te sea más fácil el trabajo.

3 Enhebra una sección de hilo de enfilar en la aguja y pasa la primera fila de cuentas: dos azules, dos rojas, dos naranjas, dos amarillas; tira del extremo del hilo, dejando un cabo de unos 5 cm.

Esta pulsera se ha hecho también con un telar. Las filas exteriores se van estrechando para un acabado final más sofisticado.

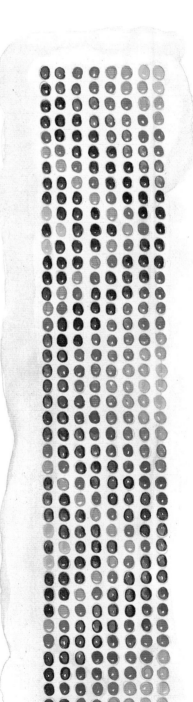

4 Pasa las cuentas bajo los hilos de la urdimbre en el telar y empújalas entre cada hilo. Lleva el hilo de nuevo a través de las cuentas, comprobando que está en la parte superior de los hilos de urdimbre.

5 Ata el hilo de trabajo con el cabo del extremo.

6 Sigue trabajando con las filas de cuentas, usando los colores mostrados en el gráfico.

7 Cuando hayas terminado el dibujo, remata todos los cabos haciendo pasar cada extremo a través de las cinco cuentas.

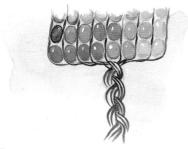

8 Corta dejando los hilos de la urdimbre largos. Separa los hilos en tres grupos de tres en cada extremo y trénzalos entre sí. Haz un nudo en el extremo de las trenzas para evitar que se desenreden.

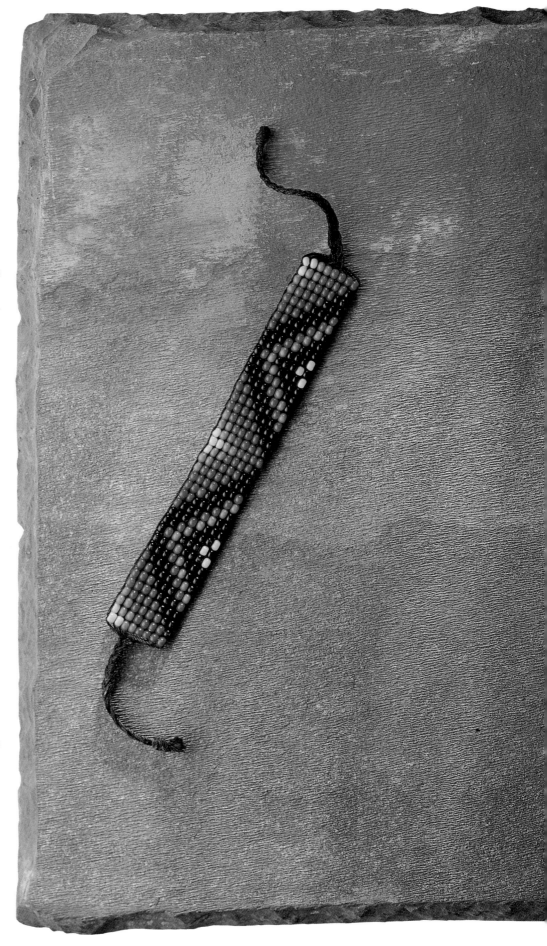

COLGANTE TEJIDO

El negro y el naranja siempre combinan bien; pero con independencia de los colores que decidas usar, básate en el contraste de dos tonos fuertes para crear un efecto espectacular en este moderno colgante.

NECESITARÁS

•

Cuentas y fornituras

- 5 g de rocallas naranjas con brillo plateado, tamaño 8/0
- 15 g de rocallas negras, tamaño 8/0
- 2 g de rocallas naranjas opacas, tamaño 8/0
- 11 cuentas negras de 8 mm
- Aguja de enfilado
- Hilo de enfilar encerado
- Hilo de seda

Otro equipo

- Telar de abalorios pequeño (ver páginas 58-59)
- Tijeras

PREPARAR EL COLGANTE

1 Enhebra el telar con 22 hilos de urdimbre, cada uno aproximadamente de 1 m de largo.

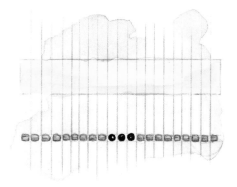

2 Empezando con un segmento largo de hilo de enfilar, pasa nueve cuentas naranjas de brillo plateado, tres cuentas negras y nueve naranjas de brillo plateado. Empieza en un extremo del telar con unos 15 cm de hilo de urdimbre, de forma que los extremos más largos estén en el lado contrario (y deja un cabo de unos 7,5 cm en el hilo de trabajo). Pasa las cuentas por debajo del telar. Empuja las cuentas entre los hilos de urdimbre y luego vuelve a pasar el hilo a través de las cuentas, esta vez sobre los hilos de urdimbre. Ata con fuerza los dos extremos.

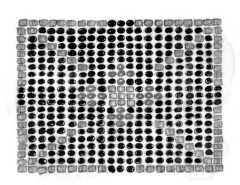

3 Sigue añadiendo filas de cuentas para completar el dibujo según se muestra en el diagrama.

4 Cuando hayas completado el dibujo, remata el hilo de trabajo y el cabo de forma segura. Corta el trabajo del telar, dejando los hilos de urdimbre suficientemente largos para que quepan los hilos y las cadenetas.

PREPARAR LOS HILOS

1 Trabajando con los hilos más largos, remata los 14 hilos centrales haciéndolos pasar a través del borde externo de las cuentas (con una aguja). Deja cuatro extremos largos a cada lado.

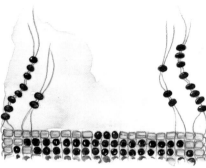

2 Une los dos hilos largos exteriores y enhébralos en la aguja, y después pasa cuentas negras hasta que el hilo mida unos 30 cm. Repite la operación en el lado contrario. Ata de forma segura los cuatro hilos y házlos pasar a través de 15-20 cuentas para el remate. Repite la operación con los cuatro hilos interiores.

PREPARAR LAS CADENETAS

1 Trabajando en el extremo del colgante con los hilos cortos, pasa nueve rocallas negras, una naranja con brillo plateado, diez negras y una naranja. Introduce una cuenta negra de 8 mm y una rocalla naranja. Sáltate la última rocalla y pasa el hilo a través de la cuenta negra y las 21 rocallas; remátalo atándolo al hilo siguiente. Remata ambos extremos haciéndolos pasar por varias cuentas.

2 Prepara otras diez tiras, separándolas de manera uniforme a lo largo del borde inferior del colgante.

CINTURÓN TEJIDO

Los materiales y diseño mostrados aquí permitirán hacer un decorativo panel de unos 54 cm de largo. Si lo quieres de mayor longitud, añade más filas de rocallas lisas en ambos extremos.

PREPARAR EL CINTURÓN

1 Enhebra el telar con 16 secciones de hilo de urdimbre, cada una de 1 m de largo aproximadamente.

2 Enhebra una sección larga de hilo de enfilar en una aguja y pasa 15 rocallas color turquesa. Dejando un cabo de unos 7,5 cm, lleva las cuentas por debajo de los hilos de urdimbre y después por encima, de cuenta en cuenta. Ata el hilo de trabajo al cabo de forma segura.

3 Repite el paso 2 para añadir una segunda fila de 15 rocallas color turquesa.

4 Empieza el dibujo con el motivo del pájaro, cuidando de tener 15 rocallas en cada fila.

5 Cuando hayas completado el pájaro, continúa trabajando con dos filas de rocallas turquesas y sigue el dibujo del rombo pequeño, añade una fila de turquesa y sigue el dibujo del rombo grande. Coloca una fila de turquesa y después repite la operación con el rombo pequeño.

6 Continúa con dos filas de rocallas turquesa y después con otro motivo del pájaro.

7 Prosigue con dos filas de rocallas turquesas antes del siguiente grupo de motivos de rombos, y después con dos filas más de rocallas turquesas.

8 Continúa con el tercer motivo de pájaro, esta vez con la cabeza apuntando en la dirección contraria. Completa el pájaro y sigue con dos filas de rocallas turquesas.

9 Retira el trabajo del telar y haz pasar cada hilo a través de cinco o seis cuentas antes de cortarlo. No pases el hilo por toda una fila de cuentas, pues éstas abultarían demasiado.

10 Pega el panel terminado de cuentas a un cinturón de cuero.

Necesitarás sólo un telar bastante corto, ya que los hilos están urdidos en los lados y pueden moverse longitudinalmente en caso necesario.

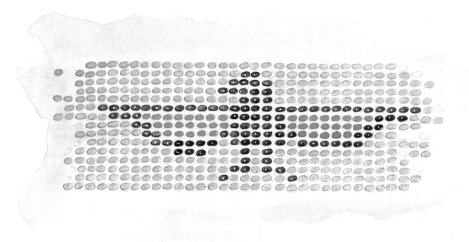

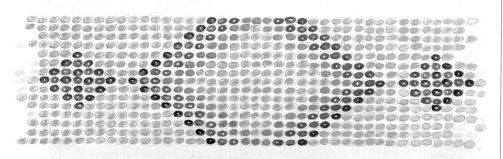

NECESITARÁS

•

Cuentas y fornituras

- 60 g de rocallas opacas color turquesa, tamaño 8/0
- 15 g de rocallas opacas negras, tamaño 8/0
- 15 g de rocallas opacas naranjas, tamaño 8/0
- 5 g de rocallas opacas rojas, tamaño 8/0
- 5 g de rocallas opacas azules, tamaño 8/0
- Hilo de seda
- Hilo de enfilar encerado
- Aguja de enfilado

Otro equipo

- Telar de abalorios pequeño (ver páginas 58-59)
- Cera de abeja
- Cinturón de cuero liso de unos 3,5 cm de ancho
- Pegamento de contacto

GARGANTILLA DE COLOR METÁLICO

Existen canutillos y rocallas del mismo color, con lo que no tendrás dificultad en encontrar piezas a juego. Puedes usar las mismas cuentas para obtener una pulsera más corta y elegante.

NECESITARÁS

•

Cuentas y fornituras

- 10 g de rocallas gris plomo, tamaño 12/0
- 15 g de canutillos gris plomo
- 4 bolas facetadas de 8 mm
- Una bola facetada de 6 mm
- Hilo de seda
- Hilo de enfilar encerado
- Aguja de enfilado

Otro equipo

- Telar de abalorios pequeño (ver páginas 58-59)
- Tijeras

PREPARAR LA GARGANTILLA

1 Enhebra 12 hilos de urdimbre, cada uno de 1 m de largo aproximadamente, en el telar, colocándolos de manera que los dos primeros estén muy cerca, con un espacio entre ambos en el que quepa un canutillo antes de los dos siguientes, que deberían estar juntos con espacio para una rocalla. Procura dejar espacios suficientes para que quepan cinco filas de canutillos.

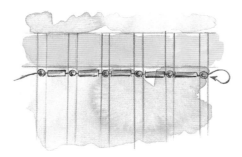

2 Dejando un cabo de unos 7,5 cm, pasa alternativamente una rocalla y un canutillo hasta tener cinco canutillos en el hilo. Pasa una rocalla. Lleva el hilo por debajo del telar y empuja las cuentas entre los hilos de urdimbre.

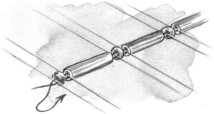

3 Tomando el hilo de trabajo por encima de los hilos de urdimbre, retrocede a través de las 11 cuentas. Ata el hilo de trabajo en el extremo.

4 Repite la operación para un total de 29 filas de rocallas y canutillos alternos, terminando la primera sección.

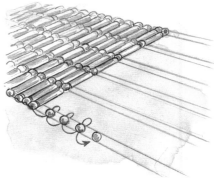

5 Pasa una rocalla, sigue por debajo de los dos primeros hilos de urdimbre y retrocede a través de la rocalla. Repite esta operación otras diez veces a lo largo de la fila superior, para tener un total de 11 rocallas.

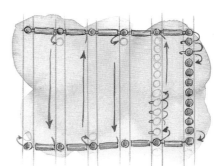

6 Completa una fila vertical de rocallas y canutillos alternos, como en el paso 2. Para la segunda fila de rocallas enlazadas lleva el hilo de trabajo por debajo a través de la primera rocalla, canutillo y siguiente rocalla, de manera que puedas rellenar la siguiente fila horizontal con 11 rocallas.

7 Prosigue con las otras cuatro filas horizontales enlazadas, y después completa la sección central de canutillos verticales y rocallas, preparando 29 filas en total, como en los pasos 2-3.

8 Repite una vez más los pasos 5-7. Remata el cabo del hilo de trabajo y corta el trabajo del telar.

9 Deja los cuatro hilos de urdimbre centrales en cada extremo. Remata todos los demás hilos, haciendo pasar cada uno a través de varias cuentas antes de cortarlo.

10 Usando dos hilos en un extremo para el cierre, inserta 18 rocallas de cuentas de 8 mm, seis rocallas, una cuenta de 8 mm, seis rocallas, una cuenta de 8 mm y una rocalla. Omite la última rocalla y pasa los dos hilos a través de todas, por encima e incluyendo la primera cuenta de 8 mm. Pasa las 18 rocallas y ata los hilos con los otros dos hilos restantes. Remata enhebrando los extremos a través de varias cuentas antes de cortar.

11 En el otro lado, mete 18 rocallas en dos hilos. Pasa una cuenta de 6 mm, después aproximadamente 21 rocallas para preparar un bucle. Comprueba que encaja sobre las cuentas de 8 mm en el otro extremo antes de volver con el hilo a través de la cuenta de 6 mm. Pasa 18 rocallas y ata los dos hilos con los dos hilos restantes. Remata el trabajo de forma segura.

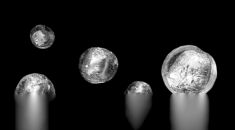

BORDADOS

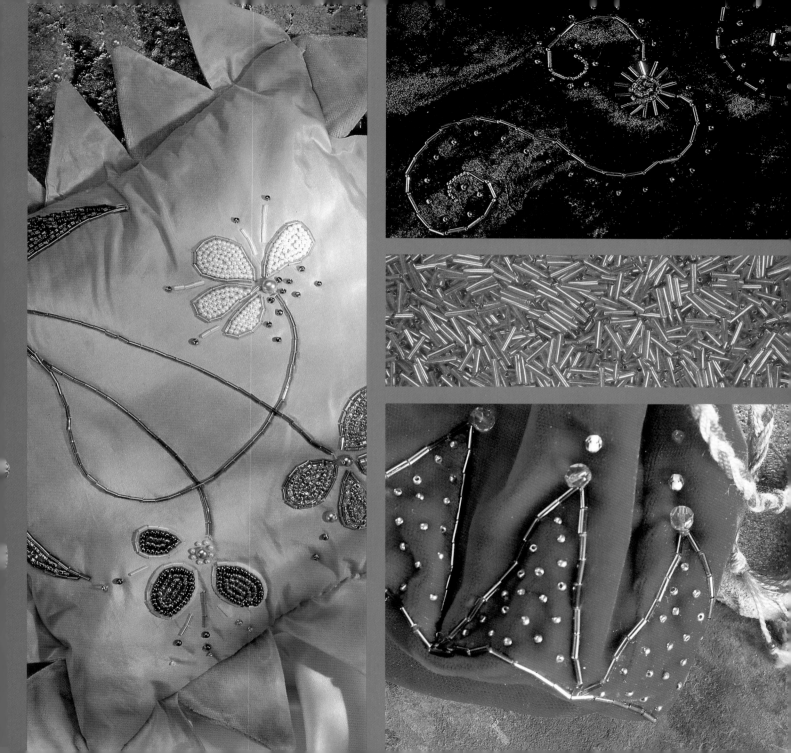

L a práctica de aplicar cuentas a las telas se lleva utilizando muchos siglos. Los bordados de pequeños abalorios son muy propios de los atuendos y la artesanía americanos y africanos, así como de los elegantes vestidos y accesorios del siglo XIX. Los bordados con cuentas pueden abarcar desde procesos sencillos hasta técnicas bastante complicadas. Los trabajos que se explican a continuación te servirán para desarrollar tus propias habilidades.

EQUIPO Antes de lanzarte a un bordado con cuentas tendrás que pensar en el diseño. Puedes dibujarlo directamente en la prenda o tela usando un jaboncillo de sastre o un lápiz de marcado lavable con agua. También es posible fabricarse primero una plantilla. Al principio, prepara someramente el dibujo y pásalo a papel de seda. Después, repasa la línea por el reverso del papel de seda con un jaboncillo de sastre, coloca el trozo de papel sobre la tela y repasa el dibujo por la parte frontal del papel de seda, dejando listo el dibujo para el bordado.

También puedes utilizar cuentas para resaltar los diseños en la tela o lazo, como es el caso del trabajo de la camisola (página 98). Usa un hilo de seda o de poliéster sin encerar para bordado, con una aguja que se adapte bien a las cuentas elegidas. Deberán ser finas, pero no demasiado frágiles.

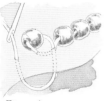

Figura 1.

TÉCNICAS Existen dos métodos básicos para bordar cuentas. Se puede coser cada una por separado en la tela (de forma muy parecida a como se cosería un botón) utilizando un pespunte simple (*fig. 1*). Cuando haya que cubrir zonas más grandes, se pueden unir dos cuentas (en lugar de una). Es muy útil para confeccionar líneas rectas. El bordado en catarata es otro método válido; en él se encadena cierta cantidad de cuentas en el hilo, se aplican sobre el dibujo y se asegura después la fila de cuentas con otra hebra que se cose por detrás de la tela (*fig. 2*). Este método es el idóneo para dibujos extensos. Una variante implica trabajar desde un lado del diseño hasta el otro con exactamente el número correcto de cuentas enfiladas en la hebra, pero no es el más indicado para dibujos muy grandes.

Figura 2.

TIPOS DE CUENTAS Los bordados de cuentas se hacen sobre todo con rocallas y canutillos, pero es posible utilizar cualquier tipo de bola ligera (antiguamente se aplicaban con los bordados también pequeñas perlas naturales y discos de concha). Conviene pensar en la idoneidad de las cuentas antes de empezar. Las seleccionadas para utilizarlas en la ropa deberán ser cuentas que no pierdan el color. Las únicas verdaderamente resistentes son las que llevan el pigmento en el vidrio. Algunas bolas, como las de madera teñida, pierden el color con la lluvia, y tal vez también por el sudor. Asimismo, la mayoría de las rocallas revestidas y las perlas de imitación perderán igualmente su calidad original con el lavado o la limpieza. No se deberá lavar con agua caliente ninguna prenda bordada con cuentas, pues se corre el riesgo de que se encoja el dibujo y se estropee la ropa. Pero no te desanimes: lavándola a mano con cuidado, la ropa bordada con bolas de colores vivos puede durar años.

Una vez que hayas empezado, te sorprenderá la enorme gama de posibilidades que te abre el bordado con cuentas. Se puede bordar la mayoría de las telas, salvo que sean demasiado finas o rígidas. Es posible utilizar prendas de punto (a veces es mejor remendar el revés de la zona bordada con tela). Trabaja siempre con buena luz y ten tu equipo a mano. Los bordados con cuentas pueden dar belleza a cualquier prenda de ropa o accesorio normal, y a veces convertirse en la única forma de disimular una mancha o quemazón pequeño en tu prenda favorita.

1 *Cintas y telas para bordar cuentas*
2 *Lazos para bordar cuentas*
3 *Hilo de enfilar*
4 *Lápices de tinta no permanente*
5 *Canutillos*
6 *Rocallas*
7 *Lentejuelas*
8 *Papel de seda*

GORRO DE ABALORIOS

Usa trenzas y abalorios en este gorro plano que combinen con la ropa y conviértete en el centro de atención. Este mismo método se puede utilizar para decorar una boina.

NECESITARÁS

•

Cuentas e hilo

- 6 cuentas rojas triangulares planas
- 3 g de cuentas de rocalla roja plateada de dos tallas, tamaño 12/0
- Una cuenta roja plana redonda grande
- Hilo de enfilar

Otro equipo

- Un gorro plano
- Lápiz de marcado borrable
- Regla
- 2,5 m de trenza negra
- Alfileres de costura
- Aguja de coser

UNIR EL ADORNO

1 Calcula el punto central de la parte superior del gorro y emplea el lápiz para marcarlo. Dibuja dos triángulos equiláteros, con lados que midan unos 6,5 cm de longitud, de manera que las esquinas formen una estrella de seis puntas y el centro de la estrella sea el centro del gorro. Prolonga las puntas de los triángulos para formar bucles.

2 Partiendo de una de las puntas, sujeta con alfileres la cuerda trenzada siguiendo las líneas de uno de los triángulos y rodeando los bucles. Cóselo. Repite lo mismo con el otro triángulo y los bucles.

3 Utiliza el bolígrafo de marcar para trazar un dibujo en zigzag por el reborde del gorro. En el nuestro, cada línea tiene unos 40 mm de largo. Sujétalo con alfileres y después cóselo para fijarlo.

AÑADIR LAS CUENTAS

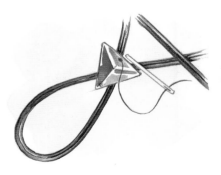

1 Cose una cuenta triangular roja en cada una de las puntas de la estrella.

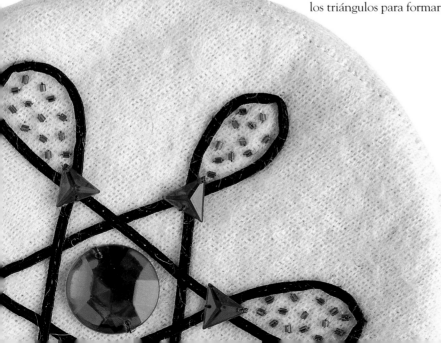

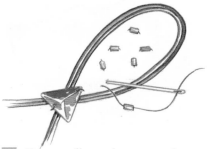

2 Cose rocallas sueltas siguiendo un modelo aleatorio en el centro de cada uno de los bucles, metiendo el hilo con la aguja por dentro del gorro después de unir cada abalorio.

3 Cose la cuenta roja redonda y grande en el centro de la estrella.

En este ejemplo se han utilizado cuentas y una cuerda trenzada con colores contrastados, pero se puede probar también con colores más conjuntados, como sólo de negro, con lo que este gorro podría combinarse con cualquier vestido.

CAMISOLA

Elige una camisola con tres o cuatro motivos florales grandes, mejor que una con adornos muy pequeños que complicarían el trabajo y no dejarían lucir tanto el efecto.

NECESITARÁS

•

Cuentas e hilo

- Unas 500 perlas de 2,5 mm
- 3 g de lentejuelas de 5 mm
- 8 lágrimas de cristal pequeñas con agujeros superiores
- 3 g de perlas de rocalla transparente, tamaño 12/0
- Hilo de enfilar no encerado

Otro equipo

- Camisola con encaje
- Tijeras
- Aguja de enfilado

COSER LAS CUENTAS

1 Corta una hebra de hilo no demasiado larga, haz un nudo en el extremo y cose una pequeña puntada en el revés de la camisola. Saca el hilo hacia el derecho.

2 Introduce cuatro perlas y aplícalas a la tela formando una pequeña curva para que formen parte de un círculo. Pasa la aguja por la tela y vuélvela a sacar entre la segunda y la tercera bola. Saca el hilo por las últimas dos cuentas y pasa otras dos más. Continúa trabajando de esta forma hasta completar el círculo.

Lentejuelas y rocallas de un tono más oscuro dan un toque llamativo.

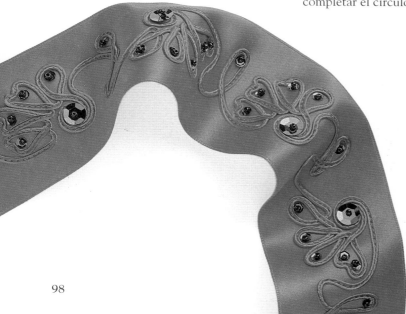

3 Utilizando el mismo método que en el paso 2, marca uno de los lados de la hoja o las formas de pétalo con perlas, curvando la línea suavemente. No añadas demasiadas cuentas para que la prenda no se deforme.

4 Con una hebra de hilo nueva, une las lentejuelas a los otros pétalos. Saca la aguja por el derecho, mete una lentejuela, con la parte cóncava hacia arriba, después pasa el hilo hacia el revés de la tela cerca del borde de la lentejuela. Vuelve a sacar el hilo por el derecho cerca de la primera puntada anterior e introduce una segunda lentejuela que se solapará con la primera.

5 Continúa añadiendo líneas de lentejuelas del mismo modo.

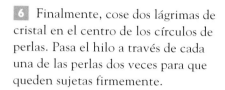

6 Finalmente, cose dos lágrimas de cristal en el centro de los círculos de perlas. Pasa el hilo a través de cada una de las perlas dos veces para que queden sujetas firmemente.

7 Algunas de las lentejuelas pueden fijarse con rocallas. Saca el hilo por el derecho, incluye una lentejuela, con la parte cóncava hacia arriba, pasa una rocalla y vuelve a meter el hilo a través de la lentejuela de modo que la rocalla sujete la lentejuela. Si aplicas este método, los rebordes de las lentejuelas sólo deberán tocarse, sin solaparse.

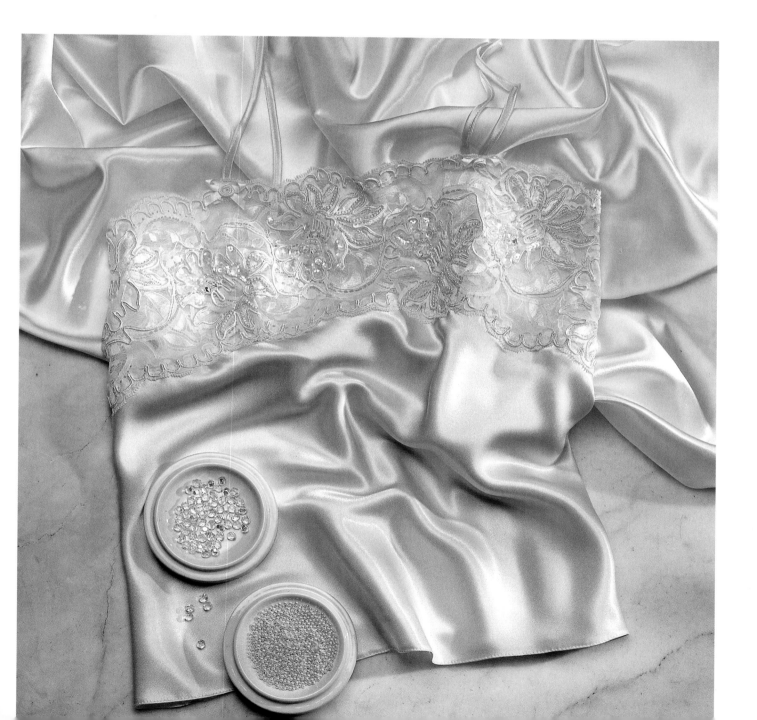

ALFILETERO TACHONADO

Decora un sencillo alfiletero con un delicado dibujo
de cuentas para transformar este funcional objeto
en un bello ornamento.

NECESITARÁS

•

Cuentas e hilo

- 10 g de canutillos de cristal azul claro
- 10 g de canutillos de cristal plateado
- 10 g de canutillos de cristal de color lila
- 5 perlas verde esmeralda de 5 mm
- 12 perlas verde esmeralda oscuro de 3 mm
- 4 lágrimas de vidrio de 10 mm
- 10 perlas de 2 mm
- Hilo de enfilar que combine con el alfiletero

Otro equipo

- Alfiletero de unos 10 x 10 cm
- Tijeras
- Hilo de enfilar

DECORAR EL ALFILETERO

1 Haz un nudo en el extremo de un hilo de enfilar largo y pásalo por una de las esquilas del alfiletero. Ensarta un número suficiente de canutillos de cristal azul claro hasta llegar al extremo y mete y saca la aguja enhebrada por la siguiente esquina.

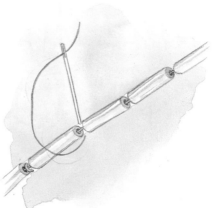

2 Fija esta fila de canutillos de cristal dando pequeñas puntadas entre canutillo y canutillo para aplicar la fila. Remata con varias puntadas en la esquina.

3 Repite los pasos 1 y 2 para decorar los otros tres lados.

4 Cose una fila en diagonal alternando canutillos de cristal de color plateado y lila por la parte superior del alfiletero de la misma forma.

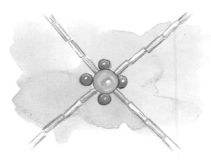

5 Con un segmento de hilo nuevo, cose una cuenta verde esmeralda grande en el centro de la parte frontal y cuatro cuentas verde oscuro de 3 mm alrededor de la cuenta grande.

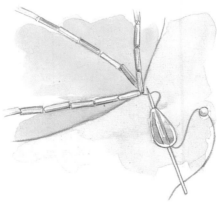

6 Pasa la aguja enhebrada con un hilo con nudo por la esquina del alfiletero e introduce una lágrima y una perla de 2 mm. Vuelve a meter el hilo por la lágrima y da una o dos puntadas pequeñas en la esquina. Cose la cuenta verde esmeralda y una cuenta verde oscuro de 3 mm en cada lado de la lágrima. Repite la operación en las otras tres esquinas.

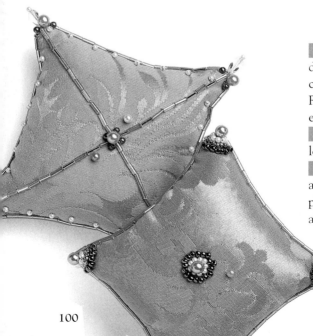

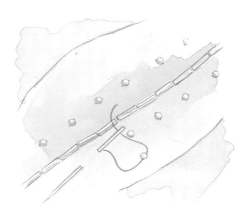

7 Cose una fila de perlas de 2 mm paralelas al reborde del alfiletero, colocándolas a unos 3 mm de los canutillos de cristal de la arista y con una separación intermedia de unos 5 mm.

8 Decora la parte de atrás del alfiletero cosiendo perlas de 2 mm por detrás, espaciándolas de forma uniforme pero siguiendo un patrón aleatorio.

Se ha decorado otro alfiletero con rocallas perladas, canutillos de cristal rosas y cinco perlas grandes de tono lila. Se incluyen lágrimas de cristal transparente en las esquinas.

TARJETA BORDADA

Aunque da la impresión de que esta pequeña tarjeta requiere gran cantidad de cuentas y lentejuelas, resulta muy fácil de confeccionar y aporta una forma ideal de aprovechar las lentejuelas y rocallas que nos hayan sobrado.

COSER LAS CUENTAS

1 Dobla un trozo de tela en cuatro para calcular el centro, marcando este punto con una pequeña arruga. Éste será el centro de la cuarta fila de rocallas verdes. Cuenta tres cuadrados hacia atrás.

NECESITARÁS
•
Cuentas e hilo
- 2 g de rocallas verdes con brillo plateado, tamaño 12/0
- 2 g de lentejuelas verdes de 4 mm
- 2 canutillos de color bronce de 6 mm
- 2 g de rocallas de color bronce, tamaño 12/0
- 2 g de rocallas rojas con brillo plateado, tamaño 12/0
- 7 canutillos dorados de 6 mm
- 21 rocallas naranjas con brillo plateado, tamaño 12/0
- Hilo de enfilar

Otro equipo
- Pieza de tela blanca (Panamá o similar), de unos 10 x 7,5 cm
- Tijeras
- Aguja de enfilado
- Pegamento multiusos transparente
- Tarjeta en blanco
- Cinta adhesiva o chinchetas

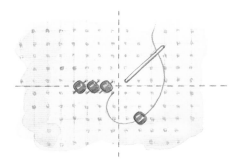

2 Saca la aguja por el derecho en la esquina inferior de la izquierda del cuadrado, pasa una rocalla verde y saca la aguja por arriba, en la esquina derecha superior del cuadrado. Añade seis rocallas fijadas con puntadas individualmente de la misma forma.

3 Trabaja hacia abajo para añadir tres filas más de rocallas, aumentando dos más en cada fila, de manera que queden 13 rocallas verdes en la fila inferior.

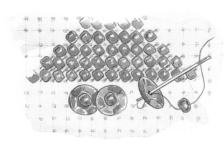

4 Deja el espacio de una fila de tela y busca el cuadrado central de la siguiente fila. Saca la aguja por delante a través del centro del cuadrado y pasa una lentejuela verde y una rocalla verde. Mete la aguja hacia abajo a través de la lentejuela y la tela.

5 Salta un cuadrado a la derecha de la primera lentejuela y fija una segunda lentejuela verde con rocalla de la misma forma. Repite lo mismo a la izquierda de la lentejuela central.

6 Sigue hacia abajo, dejando un cuadrado de tela entre cada lentejuela y añadiendo dos lentejuelas más en cada fila, hasta completar tres filas más de lentejuelas y rocallas. En total quedarán nueve lentejuelas con rocallas en la última fila.

7 Saca la aguja por la esquina derecha inferior del cuadrado central en la última fila de lentejuelas. Introduce un canutillo de cristal color bronce y cóselo en posición vertical. Saca la aguja por la esquina izquierda inferior del cuadrado central y une el segundo canutillo de color bronce vertical del mismo modo.

8 En la fila inmediatamente posterior a los canutillos de cristal cose nueve rocallas de color bronce. Debajo, cose una fila de siete rocallas y dos filas de cinco rocallas. Remata.

Hemos usado rocallas verdes de dos tallas y rojas y amarillas de tamaño 12/0 para elaborar este atractivo señalador de libros, aunque esta vistosa greca quedaría también magnífica en una camiseta lisa.

9 Vuelve al centro del árbol y remata el triángulo de rocallas con una fila de cinco rocallas y una fila de tres rocallas encima.

10 Adorna la sección superior del árbol con tres filas de lentejuelas y rocallas, esta vez con una fila de cinco, una fila de tres y una lentejuela suelta con rocalla al final.

11 Aplica al azar algunas rocallas rojas entre las lentejuelas por arriba y por abajo del árbol. Hemos añadido cinco en la parte inferior y dos en la superior.

12 Saca el hilo por el derecho justo por encima de una de las lentejuelas exteriores y ensarta un canutillo de cristal dorado. Cóselo para fijarlo y añade una rocalla roja en la parte superior y tres rocallas naranjas alrededor, a modo de «llama». Repite lo mismo en las demás ramas del árbol.

13 Comprueba que el motivo del árbol queda visible al abrir la tarjeta, cortando la tela si fuera necesario. Pega los rebordes de la tela sobre una tarjeta preparada cuidando de que el motivo quede bien centrado. Sujétalo con pinzas o con cinta adhesiva suave hasta que se pegue.

COJÍN DECORADO

Puedes copiar el diseño que se muestra aquí o crear uno de invención propia para decorar un cojín. Utilizamos tela lisa, ya que una con textura o estampada taparía el trabajo de bordado con cuentas.

DECORAR EL COJÍN

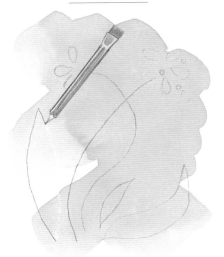

1 Dibuja un diseño sobre el cojín con un lápiz borrable. Si estás usando un trozo de tela con el que forrarás después un cojín, monta el material en un bastidor especial de sujetar lonas para trabajo con aguja. Si, en cambio, empleas un forro para cojín ya hecho, procura mantener la tela estirada y sin arrugas con un aro de bordar, que podrás ir moviendo a medida que completas las secciones.

2 Utilizando una hebra de hilo, saca la aguja por el derecho y recoje suficientes canutillos de cristal verde para el primer tallo. Aplica las cuentas a lo largo de la línea que has dibujado y saca el hilo por el revés.

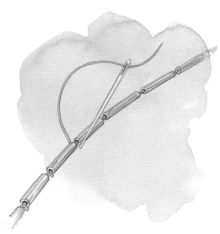

3 Saca la aguja otra vez por el lado derecho y da una pequeña puntada entre cada canutillo de cristal para que la línea quede fijada. Remata la hebra con varias puntadas por el revés de la tela.

4 Completa los demás tallos y los perfiles de las hojas del mismo modo, rematando el hilo con pequeñas puntadas por el revés de la tela.

NECESITARÁS

•

Cuentas e hilo

- 10 g de canutillos de cristal verde
- 10 g de rocallas verde claro, tamaño 8/0
- 10 g de rocallas verde oscuro, tamaño 8/0
- 10 g de rocallas verde opaco, tamaño 12/0
- 10 g de canutillos de cristal opalescentes
- 10 g de canutillos de cristal color lila metálico
- 10 g de canutillos de cristal rosa
- 10 g de perlas de 2 mm
- 10 g de rocallas color bronce, tamaño 8/0
- 10 g de rocallas rosa metálico, tamaño 8/0
- 10 g de rocallas verde metálico, tamaño 8/0
- 10 g de rocallas verde metálico, tamaño 12/0
- Unas 30 perlas variadas de 5 mm
- Hilo de enfilar que combine con el cojín

Otro equipo

- Funda de cojín, unos 30 x 30 cm
- Lápiz de marcar
- Tijeras
- Aguja de enfilado

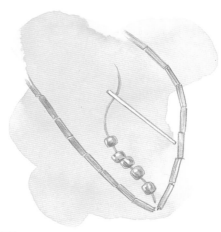

5 Usa distintos tipos de rocallas verdes para rellenar las hojas. Pasa una hebra de hilo con nudo por el derecho para introducir unas cinco cuentas. Vuelve a meter el hilo por el revés, da una pequeña puntada y vuelve a sacar la aguja por el derecho. Repite la operación con cinco cuentas más, continuando hasta haber completado totalmente la superficie.

6 Traza las formas de los pétalos de la misma forma que las hojas, pero usando ahora canutillos de cristal opalescentes, lila y rosa.

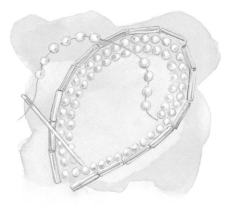

7 Rellena las formas de los pétalos de la misma forma que lo has hecho con las hojas, pero en este caso utiliza perlas de 2 mm y rocallas de color bronce, rosa metálico y verde metálico.

8 Con una hebra de hilo larga, cose las perlas y los canutillos de cristal alrededor de las flores y forma los estambres y los centros de las mismas.

9 Nuestro cojín tiene unos flecos a modo de triángulos en el reborde y le hemos añadido una cuenta en cada punta.

BOLSO DE NOCHE DE TERCIOPELO

Coser cuentas sobre un bolso de noche liso es una forma original de otorgarle elegancia y brillo. Las cuentas pequeñas al final del cordón para cerrarlo servirán para darle un toque festivo.

NECESITARÁS

•

Cuentas e hilo

- 10 g de canutillos de cristal verdes
- 10 g de rocallas verdes, tamaño 12/0
- 7 bolas facetadas color ámbar de 5 mm
- 7 bolas facetadas transparentes de 3 mm
- 15 cuentas de rocalla, tamaño 8/0
- 6 bolas facetadas verdes de 8 mm
- Bolas facetadas pequeñas surtidas
- Hilo de enfilar que combine con el color del bolso

Otro equipo

- Bolso de noche blando de un color liso (hemos elegido terciopelo rojo oscuro)
- Cinta métrica
- Alfileres de costura o lápiz de marcar
- Tijeras
- Aguja de enfilado

DECORAR EL BOLSO

1 Utiliza la cinta métrica para medir y los alfileres o el lápiz para marcar una fila de triángulos en torno a la base del bolso.

2 Corta una hebra de hilo y haz un nudo al final. Saca el hilo con la aguja desde dentro del bolso por la parte inferior de uno de los triángulos alrededor de la base.

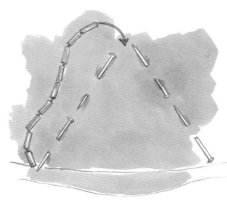

3 Recoge unos ocho canutillos de cristal verdes. Saca la aguja por el vértice del triángulo y tira del hilo hasta que las cuentas queden aplastadas contra la tela.

4 Introduciendo la aguja enhebrada hacia dentro del bolso cada vez, asegura la fila de canutillos de cristal dando pequeñas puntadas entre uno y otro para que queden fijos. Remata con cuidado y de forma segura al final de la fila, por dentro del bolso.

5 Repite los pasos 2-4 para completar los lados de los triángulos.

6 Utilizando canutillos de cristal verdes y la misma técnica, añade la fila de cuentas alrededor de la base del bolso.

7 Con una nueva hebra de hilo, con nudo al final, saca la aguja desde dentro del bolso y comienza a añadir rocallas verdes siguiendo un dibujo al azar para rellenar el interior de los triángulos. Da una puntada para fijar cada una de las rocallas y utiliza unas 20 para cada triángulo. Remata bien y de forma segura después de completar cada triángulo.

8 Usa una nueva hebra de hilo para coser una cuenta color ámbar, otra transparente y una rocalla roja en el vértice de cada uno de los triángulos. Remata bien y siempre de forma segura.

9 Cose las cuentas de rocalla verde por la parte superior del bolso, distanciándolas unos 5 mm.

10 Con secciones de hilo individuales, cose una rocalla verde grande y una rocalla roja en la punta de los vértices de los triángulos de la parte superior del bolso. Saca el hilo por la cuenta verde y la rocalla y métela de nuevo sólo por la cuenta verde.

11 Si tu bolso tiene un cordón para cerrarlo, aplica algunas bolas facetadas y rocallas a juego en los extremos de las borlas y asegúralas con nudos.

CHALECO DE MARGARITAS

Hemos utilizado rocallas y canutillos de cristal de color bronce con este chaleco de terciopelo negro liso. Y por qué no repetir este mismo diseño para adornar el dobladillo de una falda a juego.

NECESITARÁS

•

Cuentas e hilo

- 10 g de rocallas marrones plateadas, tamaño 8/0
- 10 g de canutillos de cristal de color bronce metálico
- 10 g de rocallas de color bronce metálico, tamaño 12/0
- 5 g de rocallas color bronce metálico, tamaño 8/0
- Hilo de enfilar

Otro equipo

- Un chaleco (hemos elegido un diseño de terciopelo liso)
- Lápiz de marcar

PREPARAR LAS MARGARITAS

1 Utiliza un lápiz de marcar para dibujar el diseño del chaleco. Marca los centros de las margaritas; después dibuja un círculo de unos 3 cm de diámetro desde el centro de cada uno de ellos.

2 Comienza la margarita pasando la hebra con nudo desde el revés de la tela y sacándolo al derecho en el centro de la margarita.

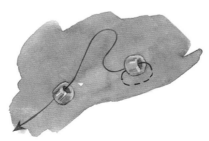

3 Introduce una rocalla marrón de 8/0, vuelve a meter el hilo hacia dentro de la tela para que la cuenta quede fija. Vuelve a sacar la aguja por el lado derecho en el mismo punto y métela de nuevo pasando por la cuenta.

4 Repite el paso 3 dos veces para formar un triángulo de rocallas.

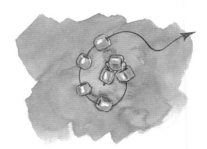

5 Recoge rocallas marrones de 8/0 y enróscalas alrededor del triángulo. Aplasta y tira bien para que las cuentas queden prietas y sujétalas metiendo la hebra hacia el revés a través de las rocallas tercera y cuarta.

6 Repite el paso 5 hasta que el centro de la margarita quede del tamaño que desees. Nosotros hemos utilizado entre 22 y 24 rocallas.

7 Forma los pétalos sacando el hilo al derecho de la tela enfrente justo del círculo. Cose un canutillo de cristal. Hemos utilizado entre 15 y 17 canutillos de cristal para cada margarita.

8 Repite los pasos 1-7 para completar las demás margaritas.

3 Forma un remolino en cada uno de los extremos recogiendo aproximadamente cuatro rocallas de 12/0 a la vez. Cóselas sobre la tela y repásalo pasando el hilo de nuevo por las dos últimas. Hemos utilizado entre 10 y 13 rocallas en total.

4 Elabora el remolino de abajo con rocallas de 12/0. Recoje cuatro rocallas a la vez, y vuelve a repasarlo pasando el hilo de nuevo por las últimas dos o tres hasta haber completado el diseño.

5 Remata cada uno de los remolinos con un perfil de puntos cosiendo rocallas de color bronce de 8/0 sueltas con separaciones uniformes. Asegura el hilo por detrás y cose cada una de las rocallas individualmente.

PREPARAR LOS REMOLINOS

1 Elabora la parte superior del torbellino pasando una hebra anudada desde el revés de la tela y sacándola por el derecho en la parte superior de la margarita. Cose un canutillo de cristal, pasando el hilo dos veces; deja un espacio de 3 mm y cose una rocalla marrón de 8/0. Completa el patrón, alternando canutillos de cristal y rocallas de 8/0. Remate con 13 rocallas de 8/0 como antes.

2 Elabora el remolino del centro cosiendo una rocalla de 12/0, un canutillo de cristal y una rocalla de 12/0. Fíjalas para que queden planas y mete la aguja por la tela. Vuelve a repasarlo y pasa el hilo por el canutillo de cristal y la última rocalla. Continúa trabajando para completar el diseño recogiendo un canutillo de cristal y una rocalla de 12/0, y cóselo como en el caso anterior.

APLIQUES PARA ZAPATOS

Las cantidades que se indican aquí son suficientes para hacer un par de apliques de cuentas para los zapatos. Utiliza la mitad y la misma técnica para decorar un bolso o la ropa.

NECESITARÁS

•

Cuentas e hilo

- 2 lentejuelas color turquesa
- 10 g de rocallas plateadas, tamaño 12/0
- 10 g de rocallas color turquesa, tamaño 12/0
- 120 canutillos de cristal color turquesa
- 60 canutillos de cristal plateados
- Hilo de enfilar

Otro equipo

- Un par de enganches para zapatillas
- Cinta de velcro adhesiva para plancha de tamaño medio, 4 trozos de 10 x 10 cm
- Tela negra de peso medio, 2 piezas de 10 x 10 cm
- Papel de seda
- Tijeras
- Aguja de enfilado
- Lápiz de marcar
- Adhesivo de contacto (opcional)

PREPARAR LOS ADORNOS

1 Pega con la plancha un trozo de velcro al revés de un cuadrado de tela. Dibuja un círculo de un diámetro de unos 5 cm en un trozo de papel de seda y córtalo. Colócalo sobre la tela y dibuja el boceto con un lápiz de marcar. No cortes aún el círculo.

2 Calcula el centro del círculo y mete el hilo de dentro a afuera. Pasa una lentejuela de color turquesa y una cuenta plateada. Vuelve a meter el hilo por la lentejuela de modo que la cuenta quede fija.

3 Saca la aguja enhebrada de nuevo al derecho, cerca del borde de la lentejuela y pasa dos rocallas turquesas. Aplástalas sobre la tela, curvándolas un poco alrededor de la lentejuela, y vuelve a meter la aguja hacia dentro. Sácala de nuevo al derecho entre las rocallas y pasa el hilo por la segunda. Pasa dos rocallas más y continúa del mismo modo hasta haber completado el círculo.

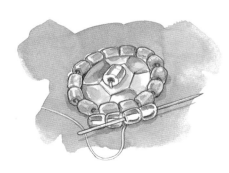

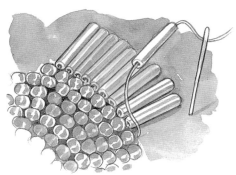

4 Haz a continuación un círculo de rocallas plateadas de 12/0. Saca la aguja enhebrada al derecho de la tela e introduce cuatro cuentas. Pósalas junto a las rocallas turquesas y vuelve a meter la aguja. Saca el hilo de nuevo entre la segunda y la tercera cuenta plateada y pásalo por la tercera y la cuarta antes de introducir otras cuatro cuentas. Continúa del mismo modo hasta haber completado el círculo.

5 Continúa formando círculos alternando rocallas color turquesa y plateadas hasta haber completado cuatro círculos de cada una.

6 En el siguiente círculo, pasa cuatro rocallas plateadas, asegurándolas como antes, y después cuatro rocallas turquesas. Repite los grupos de cuatro, alternando los colores alrededor del círculo.

7 En la siguiente fila, alterna grupos de cuatro rocallas plateadas con cinco rocallas turquesas.

8 Elabora dos círculos completos con plata. La fila final de cuentas plateadas deberá quedar aproximadamente sobre el círculo de tiza.

9 Saca la aguja por el lado derecho lo más cerca posible del círculo de cuentas plateadas y pasa un canutillo de cristal color turquesa. Deberá quedar colocado a 90° de la cuenta plateada y la base del canutillo deberá tocar la misma. Mete la aguja hacia el revés y sujeta el canutillo y vuélvela a sacar por el derecho, lo más cerca posible de la siguiente cuenta plateada. Pasa otro canutillo de color turquesa y da una puntada para fijarlo de manera que quede un espacio muy pequeño entre los canutillos en el reborde exterior. Continúa añadiendo canutillos de cristal alrededor del círculo y utiliza grupos alternos de seis canutillos color turquesa y tres plateados.

10 Cubre las puntadas en la parte del revés de las piezas acabadas pegando con la plancha un segundo trozo de velcro.

11 Utilizando unas tijeras afiladas, recorta el sobrante de tela y cinta a 2 mm de los canutillos de cristal.

12 Da una puntada o pega con pegamento un enganche para zapatos en la parte de atrás de cada uno de los círculos.

PEGAR Y

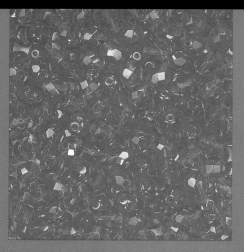

*L*as cuentas suelen ir asociadas a la confección de bisutería y bordados, pero no debe olvidarse que, con un poco de creatividad, su uso se puede extender más allá del simple enfilado y cosido. Los trabajos que se proponen en este capítulo te ayudarán a inspirarte en otros usos de las cuentas. En cuanto des rienda suelta a tu imaginación y desarrolles tu afición a los abalorios, se te ocurrirán muchos usos decorativos de la enorme variedad de las hermosas cuentas que existen en el mercado.

EQUIPO Es importante elegir el pegamento adecuado. Si se emplean cuentas más pesadas, un pegamento de epóxido será el idóneo, sin olvidar que se necesitará un recipiente viejo para la mezcla. No estará de más reforzar el reverso de las cuentas y repasarlo con papel de lija antes de pegarlas, para que las superficies encajen mejor; sople siempre ligeramente para eliminar los restos de polvo antes de pegar (*fig. 1*). Los adhesivos de PVA son excelentes a la hora de combinar cuentas con papel o pintura, y más flexibles que otras colas al secarse. Los pegamentos multiuso funcionarán perfectamente con cuentas ligeras sobre grandes superficies. Una pistola de adhesivo servirá para no desperdiciar el pegamento, pero su uso es un tanto complejo. Si usas cuentas de arcillas de polímero fabricadas por ti mismo, hoy en día existe una cola especial para plásticos en las tiendas de manualidades.

Prueba primero con una o dos bolas con el pegamento antes de nada, para asegurarte de que éste no elimina el acabado o el cubrimiento de las cuentas. Como en los demás trabajos de este libro, deberás contar con buena luz: lo ideal es un buen flexo sobre el tablero de trabajo.

Figura 1.

Figura 2.

Si usas pegamentos elige una habitación bien ventilada. Reúne todo el material y los accesorios antes de iniciar el trabajo y, sobre todo cuando se trata de pegar, busca un lugar en el que nadie pueda estropear los trabajos en marcha.

El pegado y alfileteado son ideales para decorar objetos que no van a manipularse ni tocarse demasiado, de manera que no servirá nada que haya que limpiar o lavar. Ten en cuenta que puedes aplicar esta técnica de forma muy sencilla como, por ejemplo, pegar un cabujón sobre una fornitura lisa para confeccionar un precioso broche en un momento. Se pueden preparar originales alfileres de corbata aplicando una gota de pegamento sobre una horquilla rígida y larga y ensartando encima las cuentas. También es posible comprar alfileres para gorros especiales y pasadores y cubrirlos con abalorios y, por qué no, colocar un engarce sobre las cuentas, además del pegamento.

1 *Pegamento potente*
2 *Resina epoxídica*
3 *Pegamento multiusos*
4 *Lima*
5 *Alfileres*
6 *Alfileres para el pelo con punta redonda*

MÁSCARA DE ARLEQUÍN

Se utilizaba en los bailes de disfraces para que los desconocidos pudieran flirtear sin riesgos. Usa una mezcla imaginativa de cuentas y lentejuelas para transformar una máscara.

NECESITARÁS

•

Cuentas

- Un paquete de lentejuelas verdes
- Un paquete de lentejuelas color turquesa
- Un paquete de lentejuelas azules
- Un paquete de lentejuelas moradas
- Un paquete de lentejuelas rosas
- Un paquete de lentejuelas rosa claro
- Un paquete de canutillos de cristal plateado
- Un paquete de canutillos de cristal dorado
- Un paquete de canutillos de cristal rojo
- Un paquete de canutillos de cristal azul
- Un paquete de rocallas transparentes
- Un paquete de rocallas doradas
- Un paquete de rocallas moradas metálicas
- Un paquete de cuentas doradas pequeñas
- 8 cuentas espejadas planas (hemos usado cuatro triángulos, dos cuadrados y dos óvalos).

Otro equipo

- Hilo de enfilar
- Aguja de enfilado
- Lápiz para marcar
- Una máscara
- Pegamento multiusos transparente
- Purpurina dorada brillante
- Purpurina plateada brillante

DECORAR LA MÁSCARA

1 Usa el lápiz de marcar para dibujar una rejilla de rombos sobre la máscara dejando un margen de 5 mm alrededor de los ojos y del reborde.

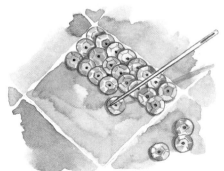

2 Ve trabajando cada rombo, de uno en uno. Aplica una capa fina de pegamento sobre la máscara, después aplica con cuidado las lentejuelas, una por una, ayudándose con la aguja. Solápalas ligeramente hasta haber cubierto todo el rombo.

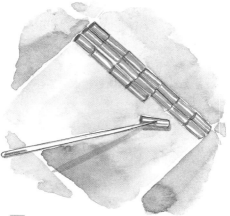

3 Cuando apliques los canutillos de cristal, utiliza una aguja de enfilado para orientarlos y ordenarlos bien. Ve añadiendo las cuentas una por una para ir completando las filas.

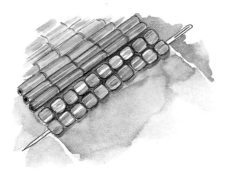

4 Enfila suficientes rocallas en una aguja para cubrir uno de los rebordes de la forma del rombo. Continúa hasta haber cubierto todo el rombo.

5 Juega con las direcciones de las cuentas para conseguir distintos efectos dentro del mismo rombo.

6 Rellena algunos de los rombos con purpurina brillante, aplicando las distintas técnicas y colores que se te ocurran para crear una superficie multicolor interesante.

CREAR LOS COLGANTES

1 Confecciona los colgantes de cuentas pegando dos cuentas espejadas planas juntas con cuidado de hacer coincidir los dos agujeros de las cuentas. Déjalo secar.

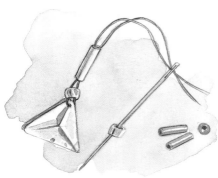

2 Corta aproximadamente 80 cm de hilo de enfilar y pásalo por las cuentas espejadas pegadas hasta alcanzar la mitad de la hebra. Une los dos cabos y enhébralos a través del ojo de una aguja de enfilado. Ensarta un surtido de rocallas y canutillos de cristal en la hebra doble hasta completar la longitud deseada. Cose el hilo por el revés de la máscara.

3 Repite el paso 2 tres veces más para elaborar un total de cuatro tiras. No deberán tener longitudes iguales.

MARCO PARA CUADRO

Puedes pintar un marco de madera en plata antes de empezar. Servirán perfectamente una pintura de spray o para aplicar con pincel, pero, eso sí, habrá que esperar hasta que la pintura esté bien seca antes de ponerte manos a la obra.

NECESITARÁS

•

Cuentas

- 3 cuentas plateadas redondas y planas de 30 mm
- Una cuenta azul redonda plana de 25 mm
- Una cuenta de amatista redonda y plana de 25 mm
- 2 cuentas de amatista redondas y planas de 12 mm
- 5 cuentas plateadas redondas y planas de 12 mm
- 19 cuentas plateadas cuadradas planas
- 3 cuentas azules cuadradas planas
- 5 cuentas de amatista cuadradas planas
- 12 cuentas plateadas triangulares y planas
- 2 cuentas de color turquesa con forma de rombo planas
- 8 cuentas azules ovaladas y planas
- 25 g de canutillos de cristal plateados de 8 mm
- 25 g de canutillos de cristal plateados de 12 mm
- 25 g de canutillos de cristal azules de 5 mm
- Un paquete de rocallas transparentes
- Un paquete de rocallas azules
- Un paquete de rocallas color turquesa

Otro equipo

- Un marco de 24 x 20 cm con un ancho de los laterales de 4 cm
- Una cuartilla de papel blanco ligeramente más grande que el marco
- Lápiz
- Pegamento multiusos transparente
- Aguja de enfilado

DECORAR EL MARCO

1 Coloca el marco sobre una cuartilla de papel y utiliza el lápiz para marcar el perímetro interior y exterior del marco.

2 Con el dibujo del marco sobre el papel como plantilla, haz pruebas sobre la disposición de las cuentas espejadas planas más grandes. Coloca las cuentas espejadas más pequeñas entremedias y ve cambiándolas hasta que el diseño te satisfaga.

3 Coloca el marco cerca de la plantilla y, ateniéndo al diseño que hayas confeccionado, pega las cuentas más grandes. Una vez que todas las cuentas planas estén en su sitio, déjalo secar durante al menos una hora.

4 Añade los canutillos de cristal uno por uno, trabajando en pequeñas secciones por todo el marco a la vez. Aplica una gota de pegamento en el marco y ayúdate con una aguja de enfilado para ir colocando las cuentas, de manera que queden en distintas direcciones para crear un efecto más interesante y con textura.

5 Añade las rocallas de dos en dos o de tres en tres, con la ayuda de la aguja de enfilado, hasta rellenar todos los huecos. Déjalo secar toda la noche.

Cuando limpies el cristal del cuadro, ten cuidado al pasar por los rebordes y procura no utilizar ningún producto que pueda afectar al marco decorado con cuentas.

BOLAS DE NAVIDAD

La mayoría de las tiendas de adornos de los grandes almacenes venden bolas de poliestireno. Te será útil un dedal para empujar el alfiler cuando confecciones estos motivos.

APLICAR LAS CINTAS

1 Corta una tira de cinta de unos 20 cm de largo. Pasa una rocalla plateada y una lentejuela morada pequeña con un alfiler y clávala a través del centro de la cinta.

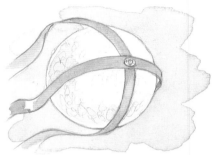

NECESITARÁS

•

Cuentas

- 5 g de rocallas plateadas, tamaño 12/0
- 2 g de lentejuelas moradas de 5 mm
- 2 g de lentejuelas moradas de 8 mm
- 2 g de lentejuelas plateadas de 5 mm

Otro equipo

- Cinta morada de 1 m de largo y 7 mm de ancho
- Esmalte de uñas transparente
- Tijeras
- Alfileres cortos
- Regla o cinta métrica
- Bola de poliestireno, 6 cm de diámetro
- Dedal

2 Coge el resto de la cinta y mide 20 cm desde uno de los extremos. Pasa el alfiler que has utilizado en el paso 1 a través de este punto para que las dos tiras de cinta se crucen en ángulo recto. Clava el alfiler en la bola y bordea la bola con las cintas de manera que la superficie de la bola quede dividida en cuatro secciones iguales.

3 Junta los dos extremos cortos en el lado opuesto de la bola y sujétalo con un alfiler. Ensambla los otros dos extremos en el mismo punto y clava el alfiler dejando el extremo largo suelto.

Sigue el mismo método que el que has utilizado para confeccionar la bola navideña morada para hacer una rosa o turquesa lisas. Hemos usado rocallas plateadas de 12/0 en cada caso, empleando lentejuelas más pequeñas para sujetar las cintas.

Hemos usado un sencillo molde de metal para
hacer galletas en forma de corazón. Presiona el
poliestireno suavemente con el molde y después
emplea un cuchillo para cortar la forma. En las
tiendas que venden accesorios de cocina podrás
encontrar todo tipo de formas: estrellas, árboles
de Navidad y ángeles. Todo se trabajará de la
misma manera.

4 Da unos toques de esmalte de uñas
transparentes en el remate de la cinta
para evitar que se deshilache. Cuando
esté seco forma un bucle con el extremo
largo. Pasa una rocalla y una lentejuela
pequeña con un alfiler. Usa el alfiler
para fijar las tres puntas sueltas y el
extremo largo del bucle.

DECORAR LA BOLA

1 Pasa una rocalla y una lentejuela
morada en un alfiler y colócalas en el
centro de cada uno de los segmentos.

2 Rodea la lentejuela morada con
ocho rocallas y lentejuelas plateadas y
clava dos lentejuelas moradas pequeñas y
rocallas en la parte superior del círculo de
lentejuelas plateadas. Repite lo mismo en
la parte inferior del círculo.

3 Clava una fila de lentejuelas
plateadas con rocalla próxima a la cinta
y alrededor del reborde del segmento.
4 Rellena el espacio que queda con
lentejuelas moradas grandes,
manteniendo las filas lo más rectas
posible.
5 Repite la misma operación hasta
rellenar las otras tres secciones.

COLLAR DE MORAS

*Con este simpático y exuberante collar disfrutarás
tanto al hacerlo como al exhibirlo. Cuando termines,
tal vez te animes a preparar otro con grosellas.*

NECESITARÁS

•

Cuentas y fornituras

- 25 g de rocallas moradas, tamaño 12/0
- 25 g de rocallas rojas, tamaño 12/0
- 25 g de rocallas negras, tamaño 12/0
- Un enganche para collar
- 2 anillos partidos

Otro equipo

- Alambre fino
- Unas 20 bolas de poliestireno de 2 cm de diámetro
- Papel de seda verde
- Papel rugoso verde
- Tijeras
- Adhesivo de PVA
- Pintura negra acrílica o témpera
- Pincel
- Pegamento de epóxido
- Cortalambre
- Punzón afilado

PREPARAR LAS BAYAS

1 Recorta las bolas de poliestireno para conseguir una forma más alargada.
2 Corta algunos trozos de alambre, aproximadamente de 6 cm de longitud, y utiliza adhesivo PVA para pegarlos a la base de cada uno y crear una forma alargada a modo de tallo. Después, píntalos de negro.

3 Una vez seca la pintura, cubre cada bola con cuentas, pegándolas poco a poco con pegamento de epóxido. Varía los colores para que parezca que unas moras están más "maduras" que otras.

PREPARAR LAS HOJAS

1 Corta 33 hojas de papel de seda y 33 hojas de papel rugoso; cada una de las hojas deberá medir aproximadamente 4 x 2,5 cm. Corta 20 sépalos de papel rugoso; cada uno deberá medir unos 2,5 cm de diámetro.
2 Corta 22 trozos de alambre de 5 cm de longitud y 11, de 20 cm de longitud.

3 Pega los alambres más cortos entre una hoja de papel de seda y una hoja de papel rugoso con adhesivo PVA. Recubre las hojas con una solución al 50% de agua y 50% de adhesivo PVA. Déjalo secar.

PREPARAR
EL COLLAR

4 Utiliza la punta del punzón para marcar los nervios en el haz de la hoja (el lado del papel rugoso). Recorta los rebordes de la hoja marcando un filo aserrado. Haz grupos de tres. Une los tríos de hojas con tiras de 5 mm de papel de seda o papel rugoso y pégalo para que quede fijo. Cubre los tallos de las moras del mismo modo.

1 Une las ramas de hojas y las bayas pegándolas poco a poco del mismo modo hasta formar un collar de aproximadamente 40 cm de largo.

2 Une el enganche a un anillo partido. Dobla el extremo del tallo para formar un bucle añadiendo los aretes y une el extremo del tallo con tiras de papel.

123

DECORACIÓN PARA BOTES

*Este trabajo está inspirado en la artesanía tradicional africana,
en la que se tejen complicados diseños en tiras para forrar los
canastillos. Hemos simplificado la tarea con el pegamento.*

NECESITARÁS

•

Cuentas y fornituras

- 20 g de rocallas rojas, tamaño 8/0
- 50 g de rocallas negras, tamaño 8/0
- Unas 20 rocallas naranjas, tamaño 6/0
- Unos 13 cascabeles
- 4 cuentas tubulares negras de 25 mm
- Una cuenta grande decorativa
- Un alfiler con cabeza
- Hilo de seda
- Hilo de enfilar encerado

Otro equipo

- Un telar para enfilar pequeño
- Tijeras
- Aguja de enfilado
- 50 cm de cordón negro fino
- Pegamento multiusos transparente
- Bote
- Pinzas de punta roma
- Clavo pequeño
- Martillo
- Lima o papel de lija

PREPARAR EL PANEL

1 Prepara la urdimbre del telar con 30 hilos, cada uno de ellos de unos 50 cm de largo (ver páginas 58-59 para las instrucciones sobre el trabajo con telar).

2 Sigue el modelo para tejer una tira con cuentas de rocallas rojas y negras suficientemente larga como para envolver el bote. El nuestro tiene una circunferencia de unos 6,5 cm. Corta la tira para sacarla del telar y remata las puntas. (Consulta el trabajo de las páginas 84-85 sobre la técnica básica de trabajo con telar.)

3 Corta los hilos de la urdimbre cerca de las dos últimas filas de bolas y aplica pegamento en los rebordes.

4 Para la fila superior, corta una hebra de hilo nueva y pásala a través de unas cuantas rocallas rojas siguiendo el reborde y sacando la aguja por la última cuenta. Introduce una rocalla negra, pasa el hilo con el que estás trabajando bajo el hilo que hay bajo las filas y de nuevo por la rocalla negra. Recoge dos rocallas negras bajo el hilo entre las siguientes dos rocallas negras.

5 Repite lo mismo a lo largo de toda la fila superior y remata pasando de nuevo a través de varias rocallas rojas antes de cortarlo.

6 Ata un nuevo segmento de hilo en la parte de abajo, pasándolo a través de unas tres rocallas rojas antes de sacarlo por el borde de abajo.

7 Pasa cinco rocallas negras, una rocalla roja, una rocalla naranja y un cascabel. Mete el hilo de nuevo por las rocallas naranja, roja y negras e introdúcelo entre la fila de rocallas rojas del reborde de abajo, sacándolo por la séptima rocalla. Repite la operación para hacer el siguiente colgante.

8 Repite el paso 7 hasta haber producido todos los colgantes a espacios iguales alrededor del todo el reborde inferior. La distancia entre los colgantes variará de acuerdo con el tamaño del bote y la longitud de la tira tejida con cuentas.

9 Cuando estén completados los colgantes, remata el hilo y pega la tira alrededor del bote.

DECORAR LA TAPA

1 Horada un agujero con un clavo y clávalo con un martillo en el centro. Líjalo suavemente. Coloca una rocalla naranja y una bola grande en un alfiler con cabeza, sácalo por el agujero y forma un bucle.

2 Corta un cordón fino en dos trozos iguales y utiliza una de las tiras para hacer pasar una rocalla naranja, un canutillo negro, una rocalla naranja, un canutillo negro y una rocalla naranja.

3 Corta otra tira de cordón a través de la primera rocalla naranja, introduce un canutillo negro, una rocalla naranja, un canutillo negro y pasa el cordón por la última rocalla naranja en el primer trozo de cordón.

4 Ajusta los trozos de cordón para que los cuatro extremos queden iguales, y después forma un cuadrado. Ata un cascabel en cada lado. Coloca el cuadrado alrededor de la bola central y pégalo a la tapa con pegamento.

ÍNDICE

AGRADECIMIENTOS

Excepto los colaboradores nombrados a continuación, todos los proyectos han sido realizados por **Alexandra Kidd.**

Chaleco de margaritas 108-109; Apliques para zapatos 100-111; Máscara de arlequín 116-117; Marco para cuadro 118-119. **Judy Fitzgerald**

Collar de moras 122-123. **Deidre Hawkins**

Cuentas de madera pintada 7; Fundamentos de diseño, centro 10; Cuentas artesanales, madera pintada y coco 12-13; Enfilado simple 20; Conjunto trenzado rojo y azul 24-25; Collar con flecos 26-27; Pendientes innovadores 44-25. **Monica Peiser**

Alfiletero tachonado 100-101; Cojín decorado 104-105; Bolso de noche de terciopelo 106-107. **Melanie Wiliams**

Fundamentos de diseño, arriba izquierda 10; Uso de arcilla polimérica, arriba izquierda 15; Collar de luna y estrellas 22-23; Collar anudado 28-29; Collar móvil 46. **Sara Withers**

La autora quiere mostrar su agradecimiento a Jonathan, Fay, John y Jim por su apoyo.